Apestoso tío Muffin

Pedro Mañas

Apestoso tío Muffin

Ilustraciones de **Víctor Rivas**

**XV PREMIO ANAYA
DE LITERATURA
INFANTIL Y JUVENIL**

© Del texto: Pedro Mañas, 2018
© De las ilustraciones: Víctor Rivas, 2018
© De esta edición: Grupo Anaya, S. A., 2018
Juan Ignacio Luca de Tena, 15. 28027 Madrid
www.anayainfantilyjuvenil.com

1.ª edición, abril 2018

ISBN: 978-84-698-3601-9
Depósito legal: M-2598-2018
Impreso en España - Printed in Spain

Las normas ortográficas seguidas son las establecidas
por la Real Academia Española en la
Ortografía de la lengua española, publicada en el año 2010.

Índice

Para Acher, mi microbio favorito,
que espero que crezca libre de miedos.

Prólogo

CUANDO YO TENÍA tu edad, y vivía en una gran casa rodeado de personas mayores, me cansé de escuchar durante años las cosas horribles que les suceden a los niños que no son lo bastante aseados:

«Si no te lavas el pelo, criarás piojos».

«Si no te lavas los dientes, tendrás caries».

«Si no te lavas las manos, te saldrán lombrices».

«Si no te lavas el ombligo se convertirá en un huevo de escarabajo».

Los piojos, las caries o las lombrices no me hacían ninguna gracia. Por eso, durante mucho tiempo, no dejé pasar un solo día sin enjabonarme el pelo, cepillarme los dientes y frotarme las manos antes de cada comida. En cambio, me hice la promesa de no lavarme jamás el ombligo. Aunque se volvió negro como una mora, nunca vi salir de allí a mi escarabajo. Quizá escapó a medianoche. Los escarabajos son estupendos.

Seguramente has escuchado a las personas mayores decir cosas parecidas. Seguramente hasta te las hayan dicho a ti. A los adultos les encanta repetir las terribles consecuencias a las que se enfrentan los niños desobedientes. Se divierten como locos charlando de esos asuntos. Y mientras te hablan del monstruo que vive en tu armario o del hombre del saco con esa voz tan seria, por dentro se están muriendo de risa.

Sin embargo, hay cosas que los adultos se han callado. Cosas de la mayor gravedad que nos han sido ocultadas durante años. Estoy seguro, por ejemplo, de que nadie hasta ahora te ha mencionado las espantosas consecuencias que tiene el abusar demasiado de la limpieza. Te contaré un par de historias aterradoras.

En 1958, vivía en la ciudad de Boston un niño llamado Thomas Parkinson. Thomas presumía de tener las orejas más limpias de todo el estado de Massachusetts, y se las lavaba varias veces al día bajo un grifo de agua helada. Sus padres no cabían en sí de orgullo cuando veían las orejas de su Tom brillar camino del colegio.

Un día de primavera, Tom acudió al viejo barbero del barrio para que le cortase el pelo.

Mientras el chico se concentraba en el *chak-chak* de las tijeras que sobrevolaban su cabeza, el anciano descubrió algo muy curioso:

—¿Pero qué demonios te has metido ahí, hijo?

Tom se miró en el espejo. Por cada una de sus relucientes orejas asomaba algo sumamente extraño: una diminuta y jugosa flor roja. A fuerza de riego y entusiasmo, en lo más profundo de sus oídos, habían germinado dos pequeñas petunias que se abrían paso hacia arriba en busca de luz. Afortunadamente, la cosa no tuvo mayor importancia, y antes de que la cabeza de Thomas se convirtiese en un elegante jarrón, las petunias fueron adecuadamente trasplantadas a una maceta. El caso es que Tom aún sigue cambiándose de acera cada vez que tiene que pasar frente a una floristería.

Heidi Schulz no tuvo tanta suerte. En 1971, Heidi podía presumir de tener la cabellera rubia más bonita de toda Baviera. «¡Queremos tu melena!», le gritaban sus amigas de la escuela como indios comanches. Pero Heidi pensaba que su pelo debía brillar aún más, así que se dedicó a husmear en un montón de revistas de belleza hasta que encontró una receta que parecía lo bastante disparatada como para funcionar. «Su cabello, más brillante y sedoso que nunca», aseguraba la revista. Siguiendo sus instrucciones, Heidi mezcló en un frasco el zumo de siete ortigas, medio litro de vinagre, dos aspirinas y un chorro de mostaza. Luego se empapó el pelo con la mezcla y se fue a acostar con la cabeza llena de preciosos sueños y grumos pringosos.

La receta funcionó a la perfección. Cuando Heidi se levantó a la mañana siguiente, su cabellera estaba más brillante y sedosa que nunca... desparramada a mechones sobre la almohada. Hoy en día, Heidi ya es una mujer mayor, pero sigue tan calva como un huevo duro.

Conozco un caso aún más terrible. Le ocurrió a mi anciana tía Flérida. Flérida era una mujer encantadora a la que le gustaba llamarme «sucio mocoso que huele a pies». Lo cierto es que era muy aseada. Por más que se bañaba y se bañaba, nunca se encontraba lo suficientemente limpia. Sus baños duraban tres o cuatro horas, y siempre los hacía con agua mineral con gas. Ni siquiera le bastaba con las esponjas normales.

—¡Quiero la esponja más áspera que tengan! —gritó un día en la tienda del pueblo.

Le dieron la esponja de crin más tiesa y áspera que pudieron encontrar, un auténtico trozo de adoquín seco. Flérida se frotó con ella durante meses, sin darse cuenta de que, después de cada baño, su cuerpo se iba haciendo un poco más pequeño. Lentamente, la terrorífica esponja estaba carcomiendo su limpia y blanquísima piel.

—Te encuentro realmente en los huesos, tía Flérida.

—Tonterías. Es la limpieza, que me realza la figura.

La anciana fue haciéndose más y más pequeña hasta que una mañana, durante su baño diario, desapareció para siempre. Tal vez se desgastó por completo o tal vez el desagüe acabó por tragársela. El caso es que todo lo que encontramos de mi querida tía Flérida fue su gorro rosa de baño y la famosa esponja flotando sin rumbo en la bañera. Mentiría si dijese que me sentí horriblemente apenado.

Podría contarte muchas más cosas sobre los peligros de ser demasiado limpio, pero creo que con esto será suficiente. Apuesto a que, a partir de ahora, te lo pensarás dos veces antes de pasarte horas encerrado en el cuarto de baño. No es necesario que incubes un escarabajo en el ombligo… Pero ¡ten cuidado!

Si no lo haces, podría llegar a pasarte lo mismo que a Mr. Muffin. Su historia es una de las más extrañas que jamás escucharás. Es una historia repleta de experimentos peligrosos, gigantescas lavadoras, bañeras parlantes y gatos que cambian de color. Pero, sobre todo, de porquería. Te lo advierto. De mucha, mucha, mucha porquería.

Así que cuidado con mancharte.

1. Un ombligo en el estofado

POSIBLEMENTE HAS OÍDO cientos de veces que los imanes atraen el hierro, la miel atrae a las moscas, y los hechiceros atraen la lluvia disfrazados como fantoches.

Mr. Montgomery Muffin atraía la porquería.

No es broma. Mr. Muffin era algo así como un aspirador humano. Por donde quiera que pasase, la mugre salía disparada hacia él como si tuviera misteriosas propiedades magnéticas.

Tal vez estés pensando que Mr. Muffin era por ello el hombre más sucio del mundo. No. Claro que no. Absolutamente no. ¡No, no, no! Por extraño que pueda parecer, Mr. Muffin era en realidad la persona más limpia y aseada que he conocido jamás.

Hay gente que cuece huevos para el desayuno. Mr. Muffin era tan limpio que prefería cocerse a sí mismo. Cada mañana llenaba su anticuada bañera con litros y litros de agua hirviente y burbujeante y desayunaba allí dentro, mientras su ombligo iba reblandeciéndose lentamente como un guisante en el estofado. El café y las tostadas navegaban a la deriva sobre una bandeja flotante.

A continuación, Mr. Muffin se cepillaba los dientes uno a uno, recortaba con esmero las uñas de sus pies, se cepillaba el bigote y, por último, sumergía la cabeza en un cubo de colonia con cuatro gotas de lejía.

Luego, se internaba en las calles inundadas de niebla, rumbo al trabajo.

Mr. Muffin trabajaba en un diminuto despacho, en la segunda planta de una gran fábrica a las afueras de la ciudad. Y te contaré una cosa curiosa: aquella enorme factoría de ladrillo rojo se dedicaba precisamente a la fabricación y venta de productos de limpieza. Es decir, que cada día, cientos de informes y balances sobre jabones perfumados para el cutis, lavavajillas concentrados y detergentes para manchas difíciles pasaban por las manos del único hombre del mundo capaz de atraer la porquería con solo mirarla.

Pero Mr. Muffin no perdía ni un solo minuto de su trabajo pensando en cosas curiosas. Cada mañana, a las nueve en punto, extendía

los dedos sobre el teclado de su máquina de escribir y respiraba hondo. Uno hubiera jurado que estaba a punto de tocar la *Quinta Sinfonía* de Beethoven en su máquina oxidada.

Pero no. Las únicas notas que surgían de su máquina eran algo así como:

Chak-chak-chak-chak-chak-chak-chak-chak-chak-chak, ¡ñiiic!

Ese *¡ñiiic!* solo significaba que el rollo de tinta había vuelto a atascarse y que Mr. Muffin tenía que repararlo. Por lo demás, eso era lo más emocionante que había llegado a sucederle durante sus diecisiete años de trabajo. Pasaba el día revisando informes sobre jabones, lavavajillas y detergentes, y la verdad es que lo hacía estupendamente. Lo sabía todo sobre productos de limpieza.

Ocho horas más tarde, regresaba a casa y se desnudaba para tomar el segundo baño del día.

Y entonces ocurría.

Sus calcetines apestaban como dos salmonetes rancios.

Sus uñas se habían vuelto negras como moras.

Un par de cucarachas muertas aparecían en sus bolsillos.

Espesas telarañas entre los dedos de los pies.

Pelusas monstruosas bajo el bigote.

Poco a poco, el agua del baño se iba volviendo oscura como la tinta, como si alguien hubiera cocido allí dentro a una familia de calamares.

A veces la suciedad traía consigo invitados aterradores. En cierta ocasión, bajo el sombrero de Mr. Muffin apareció una peluda rata negra que escapó chillando desagüe abajo.

¿De dónde salía toda aquella porquería?

Ni Mr. Muffin, ni yo, ni la rata hemos podido dar con una explicación satisfactoria a esta pregunta. Era un auténtico y oscuro misterio. Y, para Mr. Muffin, un auténtico, oscuro y deprimente misterio.

Y es que, como es natural, a nadie le gusta estar cerca de un hombre que huele a pescado podrido. Todo el mundo lo encuentra bastante repugnante.

Bien… no todo el mundo.

Había alguien para el que el olor de Mr. Muffin no resultaba repugnante en absoluto.

Ese «alguien» eran los gatos.

Los gatos no tienen nada en contra del olor a pescado rancio. Pueden sentirse ofendidos, quizá, por el olor a ambientador de limón salvaje, a perfume caro y a batido de plátano. En cambio, te seguirán a donde quieras si les ofreces un trozo de merluza bien podrido al sol. Sencillamente es así.

De modo que ya lo sabéis. Si alguna noche os topáis con una larga procesión de gatos que se desliza silenciosamente tras los pasos de una sombra de dos metros con sombrero, significa que, una vez más, Mr. Muffin está regresando a casa.

Y, si me seguís por este atajo, podéis llegar al comienzo de la historia antes que él.

2. ¡Cuidadito!

BIEN, AQUÍ ESTAMOS.
Mr. Muffin habitaba el número quince de Haddock Road.

La casa del número quince era idéntica a sus vecinas del número trece y del número diecisiete. O al menos lo había sido... hacía cincuenta años.

Durante medio siglo, las casas del trece y del diecisiete habían pasado por numerosas reformas que las habían convertido en hogares modernos y confortables. Lo único que durante esos años pasó por la vieja casa de Mr. Muffin fue el tiempo.

El apuesto Mr. Cooper, que ocupaba el número trece, contaba con doble puerta blindada, antena parabólica, alarma electrónica, piscina climatizada, felpudo musical y un tupido seto de fragante jazmín.

Tras el seto flotaba cada anochecer su coqueto sombrero de paja. Y, bajo el sombrero, el joven y fornido Mr. Cooper afeitaba el jardín con su potente cortacésped.

—¡¡Buenas noches, Muffin!! —aulló una voz sobre el rugido de la máquina.

—¡¡Buenas noches, Mr. Cooper!! ¿Cómo sabía que estaba aquí?

—¡¡Es que te *olí* llegar, muchacho!!

—¡¿Perdón, cómo ha dicho?!

El rugido de la cortacésped se detuvo un instante.

—Que te *oí* llegar, chico. ¿Qué otra cosa iba a decir?

Muffin siguió su camino, no muy convencido.

En realidad, Cooper no era solo su vecino, sino también su compañero de trabajo. Naturalmente, ocupaba un puesto más importante que el suyo en la fábrica, lo que le permitía regresar unas horas antes a casa, darse un montón de caprichos caros y, además, tomarle el pelo a Muffin sin que él pudiera protestar.

Bueno, claro que podía. Lo que ocurre es que nunca se había atrevido.

Las viejas hermanas Fidenburger, las inquilinas del diecisiete, se habían hecho instalar persianas eléctricas en cada ventana, sistema de riego automático por aspersión, timbre con

doce melodías, buzón luminoso y una sonriente manada de enanos de jardín.

Las Fidenburger no eran ancianas vulgares. Si por casualidad hubieran sido capaces de arrastrarte a su casa, en lugar de bufandas y tapetes recién tejidos como las abuelas corrientes, te habrían enseñado montones de trofeos y medallas de oro. Los habían conseguido de jóvenes, cuando ambas eran famosas campeonas olímpicas en su país. Por otro lado, sentarte a mirar medallas te habría resultado tan aburrido como sentarte a mirar tapetes.

Cada noche, las atléticas y bronceadas ancianas desplegaban sus sillas de plástico entre los enanitos del jardín y se despatarraban a tomar la luz de la luna, porque la del sol les arrugaba la piel.

—¡Buenas noches, Muffin! —chillaron al unísono como ardillas asomadas a la verja.

—¡Que descansen, señoritas Fidenburger!

—¡Y usted que *huela* bien!

—¿Cómo dicen?

—Y usted que *duerma* bien, ¿qué habríamos de decir si no?

Sin atreverse a replicar, Muffin se dirigió cabizbajo hacia la verja de su casa.

Muffin no tenía seto ni enanos de cerámica. A cambio, era el afortunado propietario de un gran llamador de bronce en forma de garra de gato, un felpudo color sangre, raídas cortinas de ganchillo, un jardín sombrío y varias familias de lagartijas que lo vigilaban desde las grietas de la fachada y que no había modo de ahuyentar. Claro que las lagartijas eran las únicas que le hacían un poco de compañía, pues vivía absolutamente solo.

No es que Mr. Muffin fuera un gran aficionado al ganchillo. En realidad, la casa y todo lo que había en ella, sobre ella y alrededor de ella (incluidas las lagartijas) habían pertenecido a su abuela, la anciana señora Muffin.

Antes de conocer a la abuela, Muffin era un niño normal y feliz que vivía con su madre en un moderno apartamento del centro. Por aquel entonces, no se ensuciaba ni más ni menos que cualquier otro niño, ni se bañaba más de lo que puedas bañarte tú.

O sea, bastante poco.

Muffin era especialmente feliz cuando, de noche, jugaba a rodar por la moqueta naranja del piso hasta los pies de su madre, que leía sentada en el sofá. Ella le alzaba en sus brazos, le estampaba un beso en la nariz y, de un soplido, le retiraba las pelusas que se le habían quedado enredadas en las pestañas. ¿Podía un niño ser más afortunado?

Por desgracia, poco después de cumplir los siete años, la madre de Muffin murió y el pobre muchacho se vio obligado a mudarse a la vieja casa de su abuela, a la que jamás antes le habían llevado a visitar. Muffin no tardó en entender porqué.

A su abuela le encantaba tener su casa tan limpia y arreglada como un museo. Y, como en un museo, tenía prohibido a su nieto tocar nada más allá del pomo de la puerta.

—¡Cuidadito con esa lámpara, Muffin, se te podría caer encima y aplastarte!

—¡Anda con cuidadito si no quieres tropezar con la alfombra!

—¡Si te acercas a la tetera te quemarás! ¡Cuidadito!

Las teteras de porcelana eran la pasión de la señora Muffin, y tenía tantas que ocupaban casi cada rincón de la casa. Teteras sobre la estantería, teteras sobre el televisor, teteras sobre la estufa y teteras sobre las teteras. El caso es que la porcelana y los niños de siete años nunca se han llevado bien. Por eso, cada vez que Muffin regresaba del colegio corriendo y con los zapatos llenos de barro, la anciana se ponía al borde del infarto. Y solo cuando Muffin se metía en la bañera volvía a respirar tranquila. Así tenía la seguridad de que tanto su nieto como las teteras estaban a salvo. De modo que le obligaba a tomar hasta cinco baños diarios.

—¡No te oigo frotaaar! —canturreaba desde el otro lado de la puerta.

Luego le inspeccionaba cuidadosamente a través de sus gafas de coser, en busca de cualquier olor sospechoso que no fuera el del jabón o la colonia.

—Fabuloso, querido —decía—. Ahora, cuidadito hasta la hora de cenar.

Muffin se acodaba entonces en la ventana a curiosear tras las cortinas de ganchillo. Fuera, en el parque infantil del otro lado de la calle, los niños del barrio brincaban sobre los charcos, amasaban pasteles de arena y se revolcaban en el barro como lombrices.

—¿Puedo salir a jugar ahora, abuela? —rogaba.

—¿Afuera? ¿A la calle? —la abuela se llevaba las manos al corazón y su barbilla empezaba a temblar—. ¿Qué quieres, que te atropelle un coche? ¿Que te fulmine un rayo? ¿Que los demás niños se burlen de ti? ¡Así es como me agradeces que te cuide!

Y, enfadada, desaparecía escalera arriba haciendo sonar furiosamente su bastón.

—¿Por... por qué iban a burlarse de mí, abuela?

Pero la anciana, con un portazo que hacía temblar las teteras, ya se había encerrado a coser en su dormitorio.

Así, desde pequeño, en aquella casa detenida en el tiempo, Muffin se fue acostumbrando a no tocar nada, a no hacer nada y a no sentir curiosidad por nada. Solo le estaba permitido bañarse. Sencillamente, se acostumbró a pasar la mitad de su vida en remojo, como un garbanzo. Y, cuando su abuela murió, siguió bañándose y bañándose como si nada hubiera cambiado. Ni siquiera se atrevió a cambiar de sitio ni una sola tetera de la colección. Ni siquiera a darle un golpecito.

Aun después de la muerte de la anciana, todavía había noches en que le parecía escuchar, en la soledad del baño, una voz susurrando al otro lado de la puerta:

—Cuidadito, no te dejes el grifo abierto…

Entonces pasaba mucho miedo.

Mr. Muffin detestaba las lagartijas, la garra de bronce sobre su puerta, las teteras de porcelana y oler a besugo rancio. Sin embargo, había algo que Mr. Muffin detestaba mucho más. Algo mucho más difícil de romper que una tetera.

Mr. Muffin se detestaba a sí mismo.

Al principio solo se tenía una ligera antipatía. Luego empezó sencillamente a no caerse bien. Al fin se tenía tanta manía que apenas soportaba el compartir cama consigo mismo. Esto, por muy grande que sea la cama, tiene difícil arreglo.

Y por eso aquella noche de sábado, como todas las noches de su vida, Muffin se dejaría caer en su enorme bañera con un enorme nudo en la garganta.

Lo que no sabía es que estaba a punto de meterse en un enorme lío.

3. Emma

PARA LA MAYORÍA de los niños, el baño es uno de los peores momentos del día.

Para la mayoría de los adultos, el baño es uno de los mejores momentos del día.

Para Muffin, el baño era —fíjate bien— el *único* momento bueno del día. Por eso lo único que pedía cada noche es que le dejasen bañarse tranquilo. Desaparecer como un cocodrilo bajo el agua espumosa de su pequeño pantano blanco.

Desaparecer y olvidar, mientras el pantano se teñía de negro poco a poco.

Fuera, tras el cristal empañado del baño, una suave tormenta otoñal había empezado a descargar sobre la calle. Muffin se sumergió en el agua y suspiró un puñado de burbujas.

Todo era paz y detergente en el viejo baño.

Todo… hasta que tres golpecitos secos resonaron en el interior de la casa.

«¿Qué es eso?», le pareció que gritaba su corazón, aunque lo que en realidad hizo fue palpitar a toda máquina.

Muffin no reconoció aquel sonido porque la garra de bronce sobre su puerta llevaba inmóvil más de once años. De no ser solo un pedazo de metal, hasta ella misma se habría sobresaltado cuando alguien la agarró por sorpresa aquella noche lluviosa.

Los tres golpecitos, sin embargo, enseguida se convirtieron en cinco, a continuación en ocho, y por fin en una vocecilla apagada que se coló por las rendijas del baño:

—¿¡Holaaa!?

Confundido, Muffin salió lentamente de la bañera, se echó por encima el albornoz y avanzó de puntillas hasta el recibidor. A tales horas solo la policía o los ladrones solían visitar las casas. Y los últimos, naturalmente, no tenían costumbre de llamar a la puerta.

«Llaman para avisarme de alguna desgracia», pensó, pero rectificó enseguida: «Un momento, ¿y si vienen a ponerme una multa? ¿Podría estar incumpliendo alguna normativa municipal? ¿Será ilegal albergar lagartijas domésticas? ¡Seguro, me han denunciado y vienen a detenerme!». De pronto sintió tanto miedo a abrir la puerta como a no abrirla. Para cuando se decidió a girar el picaporte, ya estaba casi convencido de que pasaría la noche en una celda fría y plagada de ratas.

Pero no. Lo que vio sobre el felpudo color sangre le pareció mucho más aterrador que una rata.

Una niña. Una niña muy pequeña y envuelta en un brillante impermeable amarillo.

—¿Qué... cómo... quién... qué deseas? —consiguió decir Muffin con mucho esfuerzo.

Si hay algo que le asustaba más que la policía y los ladrones, eran los niños. En cierto modo, él mismo nunca había sido un niño de verdad.

En vez de contestar, la pequeña olfateó el aire con su nariz salpicada de pecas.

—Huele a pescado —dijo al fin—. ¿Hay pescado para cenar? No puedo tomar pescado.

A Muffin le asaltó la repentina sospecha de que se estaba burlando de él:

—Di-di-disculpa, ¿cómo has dicho?

Esta vez ella se contentó con alargarle un papelito doblado que sacó del bolsillo.

«Querido M.,», leyó él a duras penas, pues la letruja era espantosa. «Un asunto urgente me obliga a pasar unos días fuera de la ciudad. Puesto que vives solo en esa gran casa, creí que no te importaría hacerte cargo de tu sobrina hasta que vuelva a por ella el próximo jueves a

esta misma hora. Disculpa el atrevimiento. Con cariño y gratitud, tu hermana...».

La firma estampada a continuación resultó ser un borrón ilegible donde apenas se distinguía una letra de otra. Lo mismo podría haber sido «Dorothy» que «Blanche» que una lagartija bailando tango. Por suerte, aún quedaba una posdata:

«P.D. Por favor, recuerda que Emma es alérgica al pescado».

Lo único que Muffin logró sacar en claro es que la chiquilla se llamaba Emma.

—Pero... pero... —logró articular—, ¿quién te ha dado esto?

Por toda respuesta, la niña señaló hacia la calle. Al otro lado de la verja, Muffin alcanzó a distinguir un auto que aceleraba bajo la fina cortina de lluvia.

—Pero... —repitió, apresurándose hacia la reja, aunque ya era demasiado tarde.

La luz de los faros desapareció tras una esquina y la calle quedó de nuevo a oscuras. Para cuando Muffin regresó a la puerta, la niña ya estaba dentro. Se había despojado del impermeable amarillo y de la gran mochila que escondía debajo y estaba repantigada sobre el sofá. Muy interesada, acercaba el oído al pitorro de una de las teteras de la abuela.

—Hola, tío —susurró, escuchando con atención—, ¿no se escucha el mar aquí dentro?

—No... yo... mira... deja eso, por favor. ¡Con cuidadito!

Muy despacio, la niña depositó la tetera sobre un velador y comentó:

—¿Sabes? No te pareces mucho a la fotografía tuya que tenemos en el comedor.

—Eh... ya, es que... —carraspeó Muffin—. ¿Emma, verdad? Resulta que ha habido un terrible malentendido, Emma. Yo no soy el que...

—Claro que en la foto ibas vestido —le interrumpió ella, ojeando el raído albornoz—. Además, los adultos os hacéis viejos a toda mecha. ¡¿Sabías que la abuela Lorna tuvo una vez cinco años?! ¡Y ahora tiene lo menos quinientos!

—Yo no conozco a ninguna Lorna y... eh... creo que tampoco tengo ninguna sobrina. ¡Ni siquiera tengo hermanos, a no ser que me esté volviendo loco! Es imposible que...

Pero Emma ya se había levantado a toquetear los botones del anticuado televisor.

—Quizá no eres mi tío-tío, ¿sabes? Como Papá Noel. ¿Pero de qué siglo es este chisme?

—Por favor, por favor, deja eso... podrías estropearlo. ¿Qué decías de Papá Noel?

—¡Pues que Papá Noel tampoco es mi verdadero papá! —explicó con toda naturalidad—. Tal vez no eres mi tío de verdad, sino un amigo de mamá al que llamamos «tío».

Muffin quiso contestar: «es que yo tampoco tengo amigos», pero no se atrevió.

—¿Có-cómo has dicho que te llamas? —preguntó en su lugar, cada vez más confundido.

—Emma… —resopló la niña, mientras tiraba una y otra vez de la cadenita de la lámpara de pie sin acabar de decidir si la quería encendida o apagada.

—Sí, eso ya lo sé. No tires tan fuerte, por favor. Pero ¿Emma y qué más?

—Emma y tengo hambre. ¡Pero que sepas que no puedo tomar pes…!

—Sí, nada de pescado, ya lo sé, pero…

—¡Claro que lo sabes, eres mi tío!

—¡No, no! Es que lo acabo de leer en…

—¿Entonces por qué huele tanto a pescado? Oye, ¿son de porcelana esas figuras?

Muffin corrió hacia la vitrina para impedir que Emma causase una catástrofe.

—¡Por favor, cálmate y escucha! ¿Recuerdas el teléfono de tu mamá?

—Claro, es uno rojo, con un cable muy largo para poder hablar desde la cocina.

—No, lo que quiero decir es... —Muffin empezó a sentirse agotado—. ¿Dónde vives?

—En una casa. ¡Qué cosas preguntas, tío! —repuso ella, trepando a lo alto del sofá.

—¡Que no soy tu tío! ¡Y te ruego que pares de hacer eso!

«Eso» consistía en dar saltos sobre el asiento como un canguro salvaje.

—¡Mírame, tío! ¡Mira! ¿Qué te apuestas a que puedo llegar hasta la lámpara?

Los viejos muelles del sofá empezaron a gemir bajo los brincos alocados de la niña. La lámpara sobre su cabeza comenzó a balancearse y las teteras a temblar.

—¡¡Basta ya, por favor!! —chilló Muffin al fin, incapaz de contenerse.

Un trueno estalló en la calle. De la impresión, Emma cayó sentada en el sofá.

Muffin, tan sorprendido como ella, se derrumbó en un sillón. Hacía años que no se oía gritar así. O quizá no se había oído gritar así jamás.

—Eso es... gra-gracias. Mira, tenemos que llamar a la policía para aclarar esto.

—Yo creo —murmuró la niña— que sería mejor llamar a los bomberos.

—¿A los bomberos, por qué?

—Por el agua —respondió Emma.

—Espera, ¿a qué te ref...? ¡Aaah!

El cuarto de baño. La bañera. El grifo abierto. El agua rebosando e inundando lentamente el baño, el pasillo y, por último, el comedor. Por primera vez, Muffin se dio cuenta de que sus pies llevaban un rato chapoteando en un pequeño estanque de agua jabonosa que formaba olas contra la alfombra.

Confundido, miró a los grandes ojos de Emma como preguntándole qué hacer.

—¡Con razón huele tanto a pescado! —gritó ella, arrastrándolo hacia el sillón—. ¡Ven, sube a mi isla o te comerán los tiburones!

4. El bañerófono

EL RELOJ DE pared ya había cantado las ocho y media cuando entre ambos lograron reparar el desastre, valiéndose de toallas, fregonas y productos de limpieza —cosas que, como es lógico, nunca faltaban en el desván de Villa Muffin.

Solo quedaba el problema del baño.

Debo decir que Muffin casi se desmayó de la vergüenza cuando Emma se aventuró en el gran aseo y descubrió la negra sopa de jabón y pelusas humeando en la bañera.

Aquello parecía el caldero de una bruja. De una muy poco aseada.

—Déjame a mí —dijo ella muy decidida y remangándose el jersey—. Solo hay que encontrar el tapón.

Y sin ningún miedo sumergió el brazo en el apestoso caldo para tantear el fondo invisible de la bañera. No tardó en sonreír con expresión triunfante, y Muffin notó por primera vez que uno de sus dientes delanteros estaba partido.

¿Pero quién narices era aquella niña misteriosa?

¡Pop!, hizo el agua, y una gran burbuja oscura estalló ante sus ojos.

¡Pop!... pero nada más. Aunque la cadena del tapón colgaba ahora enredada de la mano de Emma, el agua seguía completamente estancada.

—Bu-bueno, déjalo ya —tartamudeó Muffin—. Creo que llamaré al fontanero y...

Pero la niña no tenía la más mínima intención de esperar al fontanero.

—El desagüe está obstruido —decidió, quitándose el jersey—. Agárrame.

—¿Cómo?

—Que me agarres, hay algo atascando la cañería y voy a tratar de pescarlo.

Sin atreverse a contradecirla, Muffin la aupó por la cintura mientras ella se inclinaba peligrosamente sobre el borde de la bañera y a ciegas sumergía el brazo hasta el hombro.

Como una lombriz de las profundidades abisales, el dedo de Emma exploró a tientas la pequeña boca redonda de la bañera. Efectivamente, parecía que había algo que obstruía su garganta metálica, aunque la niña no hubiera sabido decir qué era.

—Ya lo tengo… creo que lo tengo… he encontrado algo… voy a sacarlo.

Sin sospechar la que se les venía encima, tiró con todas sus fuerzas.

Y un pequeño maremoto estalló bajo el agua.

El maloliente caldo comenzó a bullir mientras un horrible quejido surgía de las profundidades. Un ruido como el que haría un trol al sorber su tazón de fango para el desayuno. Y, al mismo tiempo, el brazo de Emma emergió del agua arrastrando consigo algo diez veces más repugnante que un trol.

Entre sus dedos índice y pulgar sostenía lo que parecía ser el afilado hocico de una boa negra. Pero no como las del zoo. Aquella gorda y lustrosa serpiente medio enroscada en la bañera no era más que una gruesa cinta de porquería, una gran trenza de mugre, pelos viejos y suciedad en general encajada en la tubería y que, por cierto, olía a muerto, o a mil demonios, o a mil demonios muertos. Y tan larga era que Emma tuvo que dar siete tirones antes de lograr que abandonase por completo su madriguera.

Lo sé, resulta asqueroso. Yo también hubiera preferido que la serpiente de la bañera resultase ser una pitón reticulada o una mortífera cobra real. Pero debo limitarme a explicarte lo que sucedió realmente. Y lo que sucedió fue que, libre al fin, el desagüe se bebió el caldo del baño a una velocidad asombrosa.

Muffin lo miró vaciarse, muy avergonzado. De todos los días solitarios de su vida, la bañera había elegido para atascarse el único en que recibía visita desde hacía años.

Sin saber qué decir, se ajustó el albornoz y miró a Emma.

Emma se tapó la nariz y miró a Muffin.

Luego ambos bajaron la vista hacia la serpiente.

Y, por algún motivo, los dos se echaron a reír.

¿Qué otra cosa puede uno hacer ante una mascota así?

Al fin, cuando de la inusual carcajada de Muffin solo quedó una ligera sonrisa, el hombre giró la llave de la derecha, la del agua fría, para arrastrar los restos de suciedad de la tubería. Pero solo para descubrir con sorpresa que del grifo no brotaba ni una gota. De hecho, lo único que salió de la bañera fue algo que estaba a punto de quitarle las ganas de reír.

La voz de Mr. Cooper, su vecino del número trece y compañero de trabajo.

—¿Holaaa? —resonó desde lo más profundo del desagüe—. ¿Patty? ¿Patty Hall?

—Qué fenómeno —susurró Emma, pasmada—. Un... un... un *bañerófono*.

—Shhh —repuso Muffin, llevándose el dedo a los labios—. Es el vecino de al lado.

De algún modo misterioso, al desatascar la bañera, la tubería del agua fría había quedado conectada a las cañerías del número trece, con lo que ahora Muffin y Emma podían escuchar claramente las palabras amplificadas del vecino hablando por teléfono. Ya se sabe que uno no debe escuchar conversaciones ajenas, pero a veces, sobre todo cuando nadie sabe que estamos ahí, la tentación es demasiado fuerte. Claro que Muffin y Emma solo alcanzaron a oír la mitad de la conversación, pero fue una mitad lo bastante espantosa como para resultar interesante:

—Aquí, Mike Cooper. Sí, sí, chica, ya me disculparás la hora, pero llevo toda la tarde al teléfono. Solo llamo para que vayas borrando de tu agenda cualquier compromiso que tengas el próximo jueves... eso es, justo antes de Navidad... pues una fiestecita para todos los compañeros de la oficina... claro que puedes traer a tu marido... vendrán todos, eso espero... ¡No, Muffin no, claro! —Aquí le sobrevino una gran carcajada que el eco de la tubería multiplicó por cien—. ¡Ese nos arruinaría la fiesta!

En aquel instante, Muffin deseó que el desagüe se lo hubiera tragado a él también.

Podría haberse presentado hecho una furia en casa de Cooper para montar un escándalo. Podría haber gritado una fea palabrota por el grifo. Podría al menos haber explicado a Emma lo que ocurría. En lugar de eso, se limitó a agarrar la llave y a cerrarla lentamente mientras musitaba:

—E-e-el bueno de Cooper. Qué bromista. Pro-probemos con el agua caliente.

Luego giró la llave de la izquierda con la cara pálida y contraída, como si en lugar de un grifo estuviera abriendo una lata de anchoas caducada.

Pero en vez del alegre chapoteo del agua cayendo, lo que se escuchó entonces fue algo parecido al ruido que hace una vieja radio al ser sintonizada. Y luego, otra voz. O, mejor dicho, dos. Las de las hermanas Fidenburger, sus vecinas del diecisiete:

—El dormitorio ya está listo —voceaba una.

—Y la cocina, como los chorros del oro —canturreó la otra.

—Más le vale a Florence encontrarlo todo a su gusto.

—¡Oh, naturalmente! ¡Y se arrepentirá de no venir a visitar a sus tías más a menudo!

Aquí las dos voces estallaron en agudas risas de pájaro.

—La muy cabeza de chorlito insiste aún en buscarse un apartamento propio.

—Bueno, le pagarán muy bien en ese nuevo trabajo... ¡Pero aquí no le faltará de nada!

—Después de instalarse le enseñaremos el barrio y le presentaremos a los vecinos.

—¡¿A *todos* los vecinos?! ¿Estás segura?

—¡No estoy pensando en Muffin, mema! ¿Qué pensaría Florence de nosotras?

En aquel momento una mano se apresuró a cerrar nuevamente el grifo.

Pero esta vez no fue la de Muffin, sino la de Emma. Las de Muffin estaban paralizadas. Sus ojos miraban fijamente a Emma como esperando un veredicto.

¡Ah! Aún no he explicado la razón por la que nuestro protagonista temía a los niños.

Bien, la razón era que, según se rumorea, los niños siempre dicen la verdad.

Es cierto que a veces los niños sueltan sin pensarlo algunas verdades dolorosas como «qué asco de comida» o «estás gordísimo». O «¡agh, qué mal hueles!». O incluso, tal vez: «todos tus vecinos parecen odiarte, tío Muffin».

Pero Emma no dijo nada de eso. De hecho, no dijo nada de nada.

En su lugar, fue a ponerse su impermeable amarillo, regresó, se inclinó sobre la bañera y, con gran esfuerzo, levantó entre sus flacos brazos la gran serpiente negra y la acomodó sobre su cuerpo con la destreza de una domadora de reptiles.

—Voy a salir —explicó finalmente, echando a andar con decisión hacia el recibidor.

—¿Qué… cómo… qué? —tartamudeó él, siguiéndola entre las filas de teteras.

—Digo que voy a salir, tío. En casa puedo salir cuando quiero. Y ya casi no llueve.

—Pero ¡¿a dónde vas?!

La niña giró el picaporte y, echándose la capucha por encima, murmuró:

—A la guerra.

Una vez más, Muffin no se atrevió a llevarle la contraria. Ni a seguirla, pues no llevaba encima más que el albornoz. Solo fue capaz de gritarle… en voz muy baja:

—Bueno, ¡pero ten cuidadito!

5. La primera batalla

EL DOMINGO ERA el único día de la semana en que Muffin se permitía el lujo de no tomar su baño matutino. Más exactamente, se permitía el lujo de no hacer nada de nada, puesto que nada tenía que hacer. Pasaba casi todo el día tumbado mirando al techo.

Aquella mañana, sin embargo, no pudo quedarse en la cama al despertar.

En primer lugar, porque no despertó en la cama sino en la bañera, muerto de frío y arrebujado en su manta como un rollito de primavera.

En segundo lugar, porque la vocecilla chillona que lo despertó no tenía ninguna intención de dejarlo pasar un domingo tranquilo:

—¡Huele a pescado, tío! —canturreaba Emma desde el pasillo—. ¿Hay arenques para desayunar? ¡¿Es que quieres matarme antes de la guerra?!

—¿Eh? ¿Qué... qué dices? —bostezó Muffin—. ¿De qué guerra hablas?

Pero ella, en lugar de responder, le hizo levantarse, preparar el desayuno para ambos, ayudarla a hacer la cama y vestirse a toda velocidad. Luego, antes de que pudiera detenerla, salió por la puerta y desfiló hacia la calle como un pequeño general amarillo: «¡un, dos, un, dos!». Muffin se tomó un instante para cerrar los ojos y deleitarse con el recuerdo de su enorme, cómoda y caliente cama. La misma cama que la noche anterior, cansado de discusiones e interrogatorios fracasados, le había cedido a la pequeña. Después echó a andar tras ella con un gran suspiro.

Todo aquel asunto de la guerra le escamaba, pero Emma se negó a dar explicaciones. En su lugar, se ocultó tras unos cubos de basura y se dispuso a vigilar atentamente las casas vecinas. Estas no mostraban aún el menor signo de actividad.

—No se ve a nadie —murmuró al rato, con cierta decepción—. ¿Dónde están todos?

—Es... es domingo, Emma —se disculpó Muffin, como si él mismo tuviese la culpa de que fuese domingo—. Nadie se pondrá en marcha hasta las once. Y aún son las diez.

—¿En serio? —preguntó ella, algo chafada—. Bueno... entonces esperaremos ahí.

Muffin la vio galopar hacia el mismo parque donde, de pequeño y tras las cortinas de ganchillo, veía divertirse a sus vecinos. Hacia los columpios donde jamás había montado.

«¿Y ahora qué hago?», se preguntó, dejándose caer en un banco junto al tobogán. Sabía que lo correcto era arrastrar a la muchacha a la comisaría para que la policía buscase a su verdadera familia. Pero había algo que le preocupaba. Una sospecha que le encogía el corazón como se encoge una sardina al asarse dentro del horno. ¿Y si en realidad la muchacha había sido abandonada? ¿Querría entonces permitir que acabase en un orfanato o, aún peor, encerrada junto a alguna abuela malhumorada en una casa llena de teteras?

Por otro lado, ¿quién era capaz de arrastrar a aquel terremoto pecoso a ninguna parte?

Con un suspiro, el hombre levantó la vista hacia Emma, que ejercitaba arriesgadas acrobacias en lo alto del tobogán. Aquella niña no parecía tener miedo a nada. Tal vez ella no había crecido entre cientos de sermones y advertencias.

Muffin, en cambio, aún podía escuchar los de su abuela con solo cerrar los ojos:

«¡Nada de mascotas, hijo, podrían contagiarte algo!».

«¡Nada de experimentos en el baño, podría explotar uno de esos mejunjes!».

«¡Nada de clases de natación!, ¿y si te ahogas?».

«¡Nada de montañas rusas, solo conseguirás marearte!».

«¡Nada de fiestas de cumpleaños, no quiero que los otros niños se rían de ti!».

«¡Nada de…!».

De pronto, un silbido de admiración interrumpió el curso de sus recuerdos:

—¡Caray, tío! Y yo que empezaba a pensar que no tenías amigos…

Emma se había acercado de puntillas al banco y parecía francamente sorprendida:

—¿Qué quieres decir? —preguntó él, saliendo de su ensimismamiento.

Por toda respuesta, la niña se arrodilló en el suelo arenoso y Muffin bajó la vista. Alrededor del banco, como tiburones en torno a la isla de un náufrago, deambulaban diez u once gatos, olfateando el aire con deleite como si tuvieran delante una golosina. Nunca antes habían logrado acercarse tanto a su querido y fragante Muffin.

—¡Digo que tienes un montón de amigos! —repuso ella, acariciándolos por turnos.

—Ah —enrojeció él, agradecido—. No sabía que los gatos contaban como amigos…

—Claro que cuentan —sonrió ella, tomando entre los brazos a una pequeña hembra color café que no paraba de maullar—. ¡Mira, quiere irse contigo!

Y, sin más, se sentó al lado de su falso tío y le puso el flaco animal en las rodillas.

—¡No, espera, yo...!

«¡Nada de mascotas, hijo, podrían contagiarte algo!», le pareció escuchar a Muffin entre los maullidos. Nunca en su vida recordaba haber tocado a un animal, exceptuando quizá la garra de gato que colgaba sobre su puerta. Pero el tacto del bronce helado no podía compararse con la suave y peluda calidez que sintió en aquel instante.

Sin hacer caso de la rigidez de Muffin, la gata fue haciéndose un hueco sobre aquel regazo tembloroso y sus agudos gemidos fueron apagándose.

Y, con ellos, el recuerdo de la voz de la abuela.

Muffin no supo cuánto tiempo pasaron en aquella posición Emma, él y la gata. Hay ratos que es difícil medir con un reloj. Ajenos también al tiempo, los demás animales se acicalaban los bigotes a sus pies.

Al fin, a las once en punto, unas lejanas campanadas rompieron la magia del momento

y los gatos fueron levantándose uno por uno, como si temieran perderse una cita con algún perfumado cubo de basura. Solo la gata color café se quedó en el regazo de Muffin. Se sentía muy a gusto.

—¡Las once! —anunció Emma, contando con los dedos y corriendo a lo alto del tobogán como si fuera un puesto de observación—. Ahora, soldado, esperemos los acontecimientos.

No tuvieron que esperar mucho.

A los pocos minutos, un alegre y jovial silbido les alertó de que la puerta principal del número trece acababa de abrirse. El joven Cooper, desperezándose, sonreía al mundo ataviado con su sombrero de paja, su jersey amarillo y sus pantaloncitos rosas de golf. Como cada mañana y según su costumbre, después de afeitarse él mismo, salía a afeitar su jardín con su potente cortacésped.

—Que no te vea —susurró Emma.

—¿Y ahora qué pasa? —preguntó Muffin, ocultándose tras la rampa del tobogán.

Por toda respuesta, Emma señaló ansiosa al vecino que, tras frotarse las manos, se disponía a encender el aparato tirando con fuerza de la cadena que arrancaba el motor.

Un tirón. Dos tirones. Tres tirones.

Al fin al cuarto tirón, el enorme chisme se puso en marcha.

Pero, en lugar de hacer *pop-pop-pop* como era lo apropiado, el ruido que salía del cortacésped era más bien *glrrrl-tic-glrrrl-bup-glrrrl*.

Cooper, intrigado, se inclinó sobre la máquina.

Se quitó el sombrero para rascarse la cabeza.

Dio unos golpecitos sobre la tapa del aparato con un dedo. *Toc, toc, toc.*

Al tercer *toc*, la tapa se abrió con una pequeña explosión y un oscuro nubarrón de porquería le estalló en las mismísimas narices. Su cabeza quedó al instante y por completo cubierta de mugre, como si se hubiera asomado al interior de una chimenea.

Y también al instante sospechó Muffin lo que la niña había hecho la noche anterior.

—¡Emma! —exclamó, viendo cómo su vecino corría a casa ocultando la cara tras el sombrero—. ¿No meterías «aquello» en el motor del cortacésped?

—Ji, ji, ji —rio ella con su sonrisilla mellada—. Solo la mitad.

—¿La-la mitad? ¿Y qué hiciste con la otra mitad?

—Ji, ji, ji —insistió ella, volviendo la vista hacia la casa de las señoritas Fidenburger.

—No, no me digas que... —tembló él—. ¡¡¡No lo meterías en su cafetera!!!

—No, no —rio ella—. En los conductos de los aspersores. En cuanto se pongan en marcha... ¡bum!

—¿En los aspers...? Espera aquí, ¿me oyes? Quizá aún pueda impedirlo.

Sin detenerse a pensarlo, Muffin cruzó la calle en dirección al número diecisiete.

Y, por no mirar, un pequeño coche verde estuvo a punto de atropellarlo.

Muffin retrocedió, avergonzado, y observó con aprensión como el auto se detenía, tocaba repetidamente el claxon y aparcaba frente a la casa de sus vecinas. Y, luego, como las Fidenburger aparecían en la entrada y saludaban al vehículo. Y como la figura de una mujer salía del interior y avanzaba hacia las ancianas.

«Debe de ser esa sobrina suya, Florence», pensó Muffin cuando vio a sus vecinas cubrirla de enérgicos besos y abrazos. La joven aguantó como pudo la cariñosa embestida.

Fue justo en aquel preciso momento cuando el riego automático decidió ponerse en marcha. Con un agudo silbido, los aspersores comenzaron a girar rápidamente, listos para rociar el césped con una ducha matutina de agua limpia y fresca.

Pero, naturalmente, no fue agua limpia y fresca lo que salió por ellos.

Creo que ya te puedes imaginar lo que salió.

En un momento, las tres mujeres quedaron ocultas por una tempestad de roña e inmundicia que oscureció el jardín durante un buen rato. Se meneaban y daban saltos por el césped como si estuvieran bailando la danza de la lluvia.

Para cuando las Fidenburger lograron alcanzar medio a ciegas la llave de paso y detener el sistema de riego, ya era tarde: todas estaban cubiertas de porquería de los pies a la cabeza.

En la distancia, Muffin solo pudo distinguirlas porque, mientras que las dos ancianas chillaban y se llevaban las manos a la cabeza, la joven Florence... se partía de risa. Entre la mugre, sus pequeños dientes relucían como exóticas perlas de los Mares del Sur.

—¡Bravo! —exclamó Emma, resbalando por el tobogán—. La capitana Emma nos ha hecho salir victoriosos de la primera batalla y, como premio a su valor, se llevará a casa a esta gata para alimentarla y cuidarla... a no ser que mi tío tenga miedo a las mascotas.

Muffin no contestó inmediatamente. Estaba como embobado por el brillo de aquella sonrisa amplia y franca. Hasta pareció olvidar por un momento que Emma no era realmente su sobrina.

—Qué bobada —logró murmurar al fin—. ¿Por qué iba tu tío a tener miedo?

—Creo que la llamaré Roña —sonrió Emma, acariciando a la gatita.

—Un nombre precioso —sonrió también él sin darse cuenta.

6. Achís

MUFFIN NO PUDO quitarse de la cabeza aquella sonrisa durante todo el día.

No se le olvidó cuando Emma lo arrastró de vuelta a casa. Tampoco mientras jugaban juntos al escondite, a las damas y a asustar lagartijas. Ni siquiera cuando se metió en la bañera vacía a medianoche y se durmió arrullado por Roña que, desde el estante de los champús, ronroneaba y le azotaba suavemente con la cola.

Solo a la mañana siguiente, cuando Muffin atravesó de la mano de Emma las enormes puertas de la fábrica de Lombardi & Co., comenzó de nuevo a sentirse intranquilo.

Lombardi & Co. era la firma de productos de limpieza para la que trabajaba.

Hasta hacía poco tiempo, el director había sido el propio Mr. Lombardi, un viejecito que había comenzado su fortuna vendiendo de casa en casa pastillas de jabón que transportaba en un maletín.

Poco a poco, el maletín fue creciendo hasta convertirse en una gran empresa que, además de pastillas de jabón, distribuía detergentes, lavavajillas, geles de baño, friegasuelos y champús para cabellos secos y castigados, entre otros productos.

Al fin, tras muchos años de trabajo, Lombardi se había jubilado y los ochenta trabajadores de la fábrica permanecían a la espera de que el consejo de la firma enviase a un nuevo director.

Las oficinas de administración se encontraban en el segundo piso, al que se accedía desde una estrecha galería que se abría sobre la planta de fabricación.

Abriéndose paso entre los obreros, Muffin arrastró a Emma a toda mecha hacia su despacho.

—¡Más rápido, llegamos tarde! —voceaba escaleras arriba, tratando de hacerse oír sobre el terrible estruendo de las máquinas. Sabía que no era apropiado llevarla con él, pero, después del episodio de la serpiente negra, no se había atrevido a dejarla sola en la casa de las mil teteras.

—Tú, aquí —le había dicho al entrar a su pequeña oficina—, sentada y quietecita mientras yo trabajo. —Y, aún muy nervioso, había empezado a teclear en su máquina de escribir.

Maravillada, Emma pegó la nariz a la cristalera del despacho, desde donde podía contemplar el ajetreo de la fábrica. Muffin estaba acostumbrado a aquel trajín infernal, pero la niña parecía hipnotizada por los enormes y negros depósitos que borboteaban, por las roñosas tuberías que goteaban, por el humo multicolor que envenenaba el aire.

Lo que más le intrigaba era cómo todo aquel pringue viscoso que circulaba entre el óxido y la mugre de las máquinas acababa convertido en blancas y perfectas pastillas de jabón. En una fuente inagotable de suavizante rosa. En fino polvo detergente. En champú al huevo.

¿Dónde estaba el huevo, para empezar?

Excitadísima, la niña comenzó a bombardear a Muffin con cientos de preguntas:

«¿Qué mezclan en aquel tanque?».

«¿Cómo se fabrica la espuma para el horno?».

«¿Por qué cambia de color el humo?».

«¿Qué hay en esas botellas?».

«Y, ¿por qué vuelve a oler a pescado?».

En aquel momento a Muffin se le congelaron los dedos sobre las teclas.

¿Olor a pescado? Incluso para él, las nueve de la mañana era una hora demasiado temprana para empezar a apestar. ¡¿Qué había pasado?!

Sencillamente que, con todo el asunto de la niña, no se había dado su baño matutino. Es más, había olvidado que la bañera seguía estropeada. Peor aún... ¡había olvidado telefonear al fontanero! Una gran gota de sudor cayó de su frente y fue a aterrizar sobre la tecla de la «M».

«M» de miedo. Y, cuando a Muffin le entraba el miedo, olía aún peor. Tal vez por eso la segunda gota cayó sobre la letra «P».

«P» de peste.

—¡Cada vez atufa más! —protestó Emma, olisqueando su mochila—. ¿No será de boquerones el sándwich que me has preparado? ¡¡Sabes que no puedo tomar pescado!!

Pero Muffin apenas la escuchaba. Sentía que se iba poniendo más y más nervioso y más y más sucio. Una pelusa oculta bajo el escritorio salió disparada y quedó atrapada en el dobladillo de sus pantalones.

«Tranquilo», se dijo a sí mismo, «mientras sigas aquí dentro no te pasará nada».

En aquel preciso instante, tres notas musicales ascendentes tintinearon por la factoría.

La producción se detuvo y todos los obreros se pararon a escuchar. Iba a anunciarse algo por megafonía:

—Señor Montgomery Muffin, preséntese en el despacho de dirección, por favor.

«No, no, no puede ser», tragó saliva Muffin. «No es posible que al nuevo director se le haya ocurrido presentarse precisamente hoy».

El pobre, en lugar de levantarse, se quedó petrificado sobre su butaca.

—¿No oyes? —dijo Emma, volviéndose—. Te están esperando en dirección.

—Sí, pero... hoy no puedo ir. No puedo conocer hoy al director.

—¿Pero qué dices? ¿Por qué?

—Por... por... porque yo no... yo... verás...

—¿Qué pasa? —se impacientó Emma al ver que su tío no avanzaba—. ¡Dilo ya!

Muffin se sintió acorralado. Se las había ingeniado para ocultarle el asunto a la niña durante unas horas, pero ahora no encontró otra salida más que decir la verdad.

—¡Porque apesto, porras! —estalló al fin—. ¡Porque yo soy tu famoso «pescado»!

Emma tardó unos segundos en comprenderlo, pero lo comprendió.

¡Era su pobre tío el que olía de aquel modo horrible!

De golpe le vinieron a la cabeza otras mil preguntas, pero sabía que no era el momento de pedir explicaciones. Era el momento de tomar decisiones.

—Ya arreglaremos eso —resolvió—. Ahora, sígueme. Te cubriré si es necesario.

Agarró su mochila, arrastró a Muffin fuera del despacho y juntos marcharon por la galería hasta el extremo opuesto de la nave. Si el olor fuese visible a los ojos, te aseguro que cualquiera podría haber visto una fétida estela verde recorrer la factoría de lado a lado, como la cola de un cometa. Hasta los obreros de abajo se detuvieron para ajustarse las máscaras protectoras sobre la nariz.

Al fin Muffin se asomó con cautela a la puerta abierta del despacho del director.

Que, aclarémoslo cuanto antes, no era en realidad un director. Era una directora.

Detrás de su nuevo escritorio, una mujer francamente pequeña y de pelo rubio y alborotado los esperaba sin levantar la vista de su escritorio. Parecía atareadísima.

—¿Montgomery Muffin, cierto? —rumió, mientras mordisqueaba su lápiz como un conejo—. ¡Entre y siéntese, enseguida acabo con estos documentos!

Muffin tiró de Emma y cerró la puerta. Luego, en lugar de avanzar, ambos se deslizaron pegados a la pared y rodearon el enorme despacho para mantenerse alejados de la directora. Cuando la mujer levantó al fin la vista de sus papelotes, descubrió a los visitantes a más de siete metros de su escritorio.

—¿Qué hace ahí, hombre? —se sorprendió, y luego se dirigió a la niña—. ¿Y tú quién eres? ¡Acérquense los dos, hagan el favor!

—Soy su sobrina —repuso ella, inmóvil—. Me llamo Emma y no puedo acercarme porque hoy se me ha olvidado ducharme, así que apesto a rayos. Además, tengo un sándwich de boquerones que…

—¡Achís! —estornudó la mujer antes de que la niña pudiera terminar—. Perdona, Emma. Yo soy Miss Dunaway, y soy la nueva directora del centro. Estoy segura de que apestas a rayos podridos y aún peor, pero lamentablemente (¡achís!), hoy no puedo apreciarlo. Resulta que ayer pesqué un terrible resfriado a causa de una mojadura y no huelo nada de nada. Pero encantada (¡achís!) de saludarles a los dos. ¡Y acérquense ya, caramba! (¡Achís!).

Entonces, como para quitar importancia al grito, sonrió por primera vez.

Y Muffin casi se cayó de la sorpresa.

Conocía aquellos dientes. Eran los mismos que había visto brillar el día anterior bajo una lluvia de porquería. Una lluvia que había obrado un gran milagro... en forma de resfriado.

¡La directora no era otra que la joven Florence, la sobrina de las Fidenburger!

Muffin avanzó muy despacio y se sentó junto a Emma frente al escritorio. Y luego, algo más tranquilo, se dejó arrastrar por la voz acatarrada de aquella mujer sin olfato:

—La verdad es que no lo he llamado solo para presentarme —explicó Miss Dunaway—. También estoy comunicando una gran noticia a todos los trabajadores: tengo el placer de anunciarles que Lombardi & Co. está a punto (¡achís!) de abrir una segunda factoría.

—Oh, pero eso es... es... es... —tartamudeó Muffin.

—Es... tupendo —resumió Emma.

—Así es —suspiró la directora, volviendo la vista hacia sus papeles—. Pero me temo que me ha tocado a mí seleccionar a toda prisa a la persona que ocupará la dirección de la nueva planta (¡achís!). Todos tienen brillantes expedientes... ¡y yo solo tres días para decidir! Por eso se me ha ocurrido convertir esto en una especie de torneo. Un juego, si lo prefiere.

—¿Ju-juego? —murmuró Muffin, sin comprender nada.

—Algo así —sonrió ella de nuevo—. Me gustaría que todos ustedes aportasen algo a la empresa, que presentasen alguna idea o propuesta innovadora para la compañía. ¡Pueden volverse tan locos como quieran! El candidato que exponga la mejor idea será la persona ideal para ocupar el nuevo puesto. ¡Necesitamos a alguien valiente y emprendedor para ponerse al frente de esa planta! ¿Qué le parece?

Al oír la palabra «valiente», Muffin no supo qué decir. Si era de coraje de lo que se trataba, ya podían ir buscándose a otro. Por suerte, alguien llamó al despacho y Muffin no se vio obligado a contestar. En su lugar, volvió la cabeza.

Un rostro conocido y sonriente apareció a su espalda. El de su vecino Cooper.

—¿Quería verme otra vez, Miss Dunaway?

—¡Ah, adelante! —exclamó ella, y se dirigió a Muffin—. Su colega Cooper ya ha tenido (¡achís!) la gentileza de invitarme este domingo a una fiesta a la que, supongo, usted también asistirá. No habrá olvidado invitar a Muffin, ¿verdad, Cooper?

—Pu-pues… —masculló el otro, al tiempo que su sonrisa se derretía—. Ju-justo ahora iba a hacerlo.

—¡Perfecto! —exclamó ella, sonándose la nariz con un pañuelo de papel—. Será en la fiesta donde elegiré al ganador. Ahora ya pueden volver a su trabajo.

—Muy bien —asintió Cooper, recobrándose un tanto del imprevisto y abrasando a Muffin con la mirada—. A propósito, Miss Dunaway... ¿no huele un poco raro aquí?

Fue entonces cuando Emma se levantó y lo miró de arriba abajo con la misma cara con la que se observa a un famoso archienemigo o a un guiso poco apetitoso.

—Lo que huele —gruñó al fin, abriendo su mochila—, es el delicioso sándwich de boquerones que ha preparado mi tío para el almuerzo. ¿Le apetece un poco?

Y sin más, le plantó en las narices un pringoso envoltorio de papel de plata.

Ni siquiera ella sabía que el sándwich era de pavo asado.

7. Dos gotas de Frescor Azul

J ARREABA SOBRE LA calle oscura y el viento hacía temblar los cristales. La tormenta cruzaba la ciudad de una punta a otra con sus patas de relámpago.

En una noche así debió volver a la vida el monstruo de Frankenstein.

Muffin trataba de hacerse oír por el teléfono sobre el retumbar de los truenos.

—¡Qué mala suerte, el fontanero no puede venir hasta el viernes! —anunció cuando al fin cortó la comunicación, dirigiéndose hacia el aseo para asegurarse de que la bañera seguía estropeada—. ¡Y los grifos siguen sin echar ni gota! ¡Habrá que lavarse en el lavabo! ¿Pero... pero qué hace todo eso ahí?

Junto a la pared del baño se extendía una larga fila multicolor de productos de limpieza: decenas de latas y frascos polvorientos, botellas transparentes donde burbujeaban líquidos verdes, rosas y amarillos, tubos de dentífrico sin estrenar, pastillas para la lavadora y pequeños sobres de detergente con los que Lombardi & Co. obsequiaba a sus empleados. A la luz caprichosa de los relámpagos, aquello parecía realmente el laboratorio de Frankenstein.

—Lo tenías todo en el desván —explicó Emma, apareciendo en el baño con un par de tarros más—. Y vamos a usarlos para crear un nuevo producto para el torneo.

Muffin no pudo evitar sentirse conmovido.

—Emma, es muy bonito por tu parte querer ayudarme, pero en realidad yo había pensado en algo más sencillo, un nuevo eslogan para nuestro jabón o algo así.

—¿Un nuevo eslogan? ¿Cuál?

—No sé, algo así como… «Jabón Lombardi: lo lava por la mañana y sigue limpio por la… *tardi*».

Emma miró al cielo como si suplicase paciencia.

—¡Venga ya, tío! Con ese eslogan no conquistarás el puesto… y menos aún a tu jefa.

Entonces Muffin se puso más colorado que su felpudo.

—Qué cosas tienes, Emma —trató de disimular—. ¿Por qué iba a querer yo…?

—Hablemos claro. ¿No será que te interesa más impresionarla que el trabajo de director?

Muffin bajó la vista, avergonzado. Su falsa sobrina había dado en el clavo.

Lo cierto es que resulta más fácil hablar de malos olores que de amor. De un mal olor siempre puede decirse que consta de cuatro partes de salmonete rancio, dos de pis de gato, una de repollo cocido y un pellizco de moho. Pero... ¿de qué está compuesto el amor?

Y, en cualquier caso, ¿estaba Mr. Muffin realmente enamorado de Miss Dunaway?

Claro que no. Al fin y al cabo, el amor a primera vista es cosa de las películas.

Y, sin embargo, era indudable que la sonrisa de la nueva directora había encendido una chispa en su corazón apagado. Y sí que deseaba impresionarla, al menos un poquito. Para ello solo contaba con tres días: el tiempo que dura un resfriado corriente. El mismo que tardaría Florence en enterarse de su sucio secreto.

—Bueno —concedió con aprensión—, ¿y qué propones exactamente?

La niña le alargó unos guantes de fregar y eligió otros para ella.

—Tú tienes experiencia con todos estos potingues —explicó ella—. Y yo tengo la creatividad.

¡Pues fabriquemos un nuevo producto de limpieza para el concurso!

Una vez más, a Muffin le pareció escuchar la voz de su abuela:

«¡Nada de experimentos en el baño, podría explotar uno de esos mejunjes!».

Pero, por encima de ella, retumbaba la voz constipada de la señorita Dunaway:

«Quien ofrezca la mejor propuesta dirigirá con mi ayuda la nueva fábrica».

—De acuerdo —murmuró finalmente—. Supongo que no pasa nada por intentarlo.

—¡Viva! —Aplaudió Emma—. Pues manos a la obra.

Como dos científicos profesionales, ambos se ajustaron los guantes y se enfundaron en albornoces blancos a modo de batas de laboratorio. Después, se pusieron a trabajar.

Muffin leía trabajosamente la diminuta letra de las etiquetas y tomaba notas en un papel para seleccionar la base de la mezcla: medio cubo de detergente en polvo Albor, un cuarto de litro de gel de baño Mimos y tres tapones de lavavajillas Titán espumoso con fragancia oceánica. Aún no tenía claro el tipo de producto que quería conseguir, pero sabía que deseaba un limpiador potente y eficaz a la par que ligero y fragante.

Mientras, Emma vertía con precaución los ingredientes en la bañera y los removía suavemente con el mango de un cepillo viejo. Era lo mejor que había podido encontrar. La sustancia cremosa de la bañera fue asentándose y tomando un color amarillo pálido.

—Miau. —Oyeron a sus espaldas. La gata, sola y aburrida, se acercaba a curiosear.

—Sal de aquí, Roña —la reprendió Emma—. Es peligroso.

Roña, sin hacer ningún caso, ascendió de un salto a la repisa del champú y se acomodó, haciéndose sitio con el trasero para apartar un bote de loción de afeitado Frescor Azul. Desde allí se puso a vigilar los movimientos de sus amigos.

Muffin se inclinó sobre la bañera y husmeó el aroma que desprendía la mezcla.

—Mmm… esto no está mal, pero creo que aún falta algo.

—¿Qué te parece esto? —dijo la niña, alcanzando el bote de Frescor Azul que la gata azotaba con la cola.

—¡Oh, no! El Frescor Azul es completamente incompatible con esta mezcla.

—¡Pero le daría un «perfecto toque de distinción»! Mira, lo dice la etiqueta.

—No, Emma, hazme caso. Nada de loción.

—Pero aquí dice que…

¡Miau, splash, fu, fu!

Mientras los dos científicos discutían, la gata acababa de precipitarse bigotes abajo en el mejunje.

—¡Se ha caído! —gritó Muffin de inmediato—. ¡Sácala, los gatos odian los baños!

Pero claro, era más fácil decirlo que hacerlo. Por mucho que la intrépida Emma lo intentaba, la gata se escurría de sus manos una y otra vez.

—¡No puedo! ¡Se me resbala!

—Espera —murmuró Muffin, alzando la mano y abriendo los ojos de par en par—. No se resbala, es que… es que no quiere que la saques. ¡Le gusta! ¡Le encanta! Es más, creo que no se ha caído… ¡se ha tirado!

Era extraño pero indudable que, por algún motivo, Roña se encontraba muy a gusto allí dentro, e incluso se permitió nadar un poco a través del pastoso baño. ¡Y no solo eso! Poco a poco y sin esfuerzo, la mugre que llevaba adherida después de meses callejeando comenzó a desprenderse de su pelo y a formar un círculo oscuro a su alrededor. Fue entonces cuando se dieron cuenta de que la gatita no era en realidad de color café solo, sino más bien café con leche.

Y, al rato, color leche sola.

—¡Un limpiagatos! —sonrió Emma, admirada—. O quizá un limpiamascotas.

—¿Te das cuenta de lo que nuestro invento significa? —preguntó Muffin—. Se acabaron los bufidos, los maullidos y los arañazos a la hora del baño. ¡Los propios gatos se lanzarán encantados a la bañera!

—Bravo —sonrió Emma a su vez, y después añadió—: Y ahora, ¡el Frescor Azul!

—¡No!

Y, antes de que pudiera detenerla, la niña vertió dos gotitas de la loción color arándano en la bañera. Roña las vio caer sin mostrar ningún interés. En vez de flotar, las gotas se hundieron silenciosamente en el fondo del potingue, como dos balas de plomo.

—¿Lo ves, tío? No pasa nada malo.

Apenas Emma hubo dicho aquello, las gotas regresaron a la superficie en forma de burbujeo. Un burbujeo que no presagiaba nada bueno. De pronto, un pequeño oleaje comenzó a sacudir las paredes de la bañera, como si un terremoto estuviera sacudiendo los azulejos de la habitación.

En ese momento, Roña decidió que el baño había durado suficiente y que era hora de huir, pero sus garras resbalaron en las lisas paredes

de la bañera. Muffin y Emma vieron con horror como la gatita blanca era arrastrada hacia el fondo por la marea.

—¡Se hunde, tío! ¡Cógela!

—¡No la veo! ¿Qué... qué está pasando ahora?

Sobre la superficie del líquido habían empezado a formarse burbujas azules que humeaban al estallar. La catástrofe era inminente. Entonces Muffin se vio obligado a decidir entre rescatar a la gata y proteger a Emma.

Y, naturalmente, escogió a Emma.

Cubrió a la pequeña con su cuerpo al tiempo que gritaba:

—¡Cuidado, va a explotar!

Y explotó. O, al menos, lo pareció, porque ninguno de los dos pudo verlo.

Cuando Muffin abrió de nuevo los ojos, la bañera estaba casi vacía. Su ingenioso limpiagatos, convertido en un asqueroso pegote azulado, estaba adherido al techo, a las paredes y a la punta de su nariz.

La parte buena era que desde algún lugar llegaban los maullidos rabiosos de Roña, lo que significaba que la gata estaba a salvo. De hecho, debió de salir despedida con la explosión, pues Muffin la localizó haciendo equilibrios sobre la cisterna del inodoro. Bufaba furiosa, como diciendo: «¡Vivía más tranquila en la calle!».

Sin poderlo evitar, a nuestro protagonista se le escapó una sonrisa nerviosa.

«Qué bobada», fue lo primero que pensó, «mira que sentir miedo de los experimentos». Emma abrió los ojos y miró alrededor.

Lo primero que pensó ella fue: «Caray, la gata se ha vuelto azul».

8. Limones salvajes

A LA NOCHE SIGUIENTE, Muffin regresó de nuevo a casa con un gran nudo en la garganta. Pero esta vez no se trataba de uno cualquiera. Era un triple nudo marinero.

El primer lazo del nudo era de angustia y, por suerte, se deshizo rápidamente al comprobar que Emma, la gata azul, las teteras y el resto de la casa seguían a salvo. La niña había cumplido su promesa de no causar ningún estropicio mientras estaba sola.

La encontró acurrucada en el suelo junto a Roña y entre un montón de lápices de colores y folios pintarrajeados con gatos, perros y detergentes. Parecía entusiasmada:

—Mira, tío, ¡se me han ocurrido un montón de eslóganes para nuestro limpiador! «Perros y gatos, aseados de inmediato». «Con unas pocas gotas, limpie a todas sus mascotas». Y mi favorito: «¡Brillarán como lingotes de la cola a los bigotes!».

Muffin sonrió, y hasta sus dientes temblaron de excitación. Y es que el segundo lazo del nudo era de nervios. Aunque le costaba admitirlo, se sentía cada vez más ilusionado por el proyecto que se traían entre manos. Mira que si ganaban el concurso.

—Y a ti —añadió la niña—, ¿cómo te fue en el trabajo?

Ah, aquí venía el tercer lazo, el más gordo. Este era un enredo de pura emoción.

Lo cierto es que las largas horas de trabajo habían resultado tan aburridas como siempre. Ni siquiera el rollo de tinta de la máquina de escribir había tenido el detalle de atascarse. Sin embargo, de entre aquellas horas eternas habían surgido nueve minutos casi mágicos.

A mediodía, Miss Dunaway le había llamado a su despacho.

En cuanto Muffin escuchó el primer «achís», supo que ella seguía sin poder olerle. Por eso se había mostrado seguro y confiado, lo suficiente como para mantener una breve charla. No es que hubieran hablado de música o literatura, sino de beneficios netos y balances de ventas. Aun así, pudo comprobar que Florence era mucho más que una sonrisa bonita. Era también una mujer ingeniosa, divertida y audaz. Al menos, eso le pareció. Puesto que ni tú, ni yo, ni

Roña estábamos presentes en el despacho, no hay modo de comprobarlo. No me extrañaría que estuviese exagerando un poco.

En todo caso, aquello era algo demasiado personal como para comentarlo con Emma:

—Bien —se limitó a contestar, apartando a la gata—. ¿Nos ponemos manos a la obra?

Antes de que ella pudiera responder, el «toc, toc» de la garra de gato sobre la puerta los interrumpió. El falso tío y la falsa sobrina se miraron, confundidos. Luego Emma corrió a esconder a Roña en la cocina y Muffin salió a recibir al visitante.

Que, para su sorpresa, no era otro que Mr. Cooper.

—Hola, chico —sonrió, casi tímidamente—. Eh... ¿podemos hablar?

Cierto tipo de personas le habría cerrado la puerta en las narices al vecino. Pero a estas alturas ya sabes que Muffin no era ese tipo de persona:

—Bu-bueno, por supuesto. Adelante.

Cooper se internó silbando en la penumbra del salón y aceptó el polvoriento butacón que Muffin le ofrecía. Emma, mientras tanto, trataba de abrasarlo con miradas furibundas.

—Tu sobrina, ¿verdad? ¿Cómo estás, preciosa?

—Bien —gruñó Emma. Jamás la palabra «bien» sonó tan mal.

—Pues tú dirás… —comenzó Muffin pasados unos segundos largos como siglos.

—Verás, chico, yo… —farfulló el joven con incomodidad y luego, de pronto, se encogió de hombros y se echó a reír—. ¡No hay modo fácil de decir esto! Yo… quería disculparme por no haberte invitado a mi fiesta. Sé que fue una grosería, y más siendo vecinos. Espero que puedas olvidarlo y que aceptes mi más sincera invitación para el próximo jueves.

Esta vez fue Cooper el que sintió que los segundos siguientes se hacían eternos.

—Disculpado —dijo al fin Muffin, lo que le valió un buen codazo de Emma en el costado.

—¡Ufff, gracias, chico! —repuso el otro, secándose una gota de sudor invisible de la frente—. Qué momento he pasado. Ahora, tan amigos, ¿eh?

—Tan amigos. —Trató de sonreír Muffin.

—¡Así me gusta!

Emma resopló tan fuerte que levantó una nubecilla de polvo del aparador, pero Cooper no pareció reparar en ello y continuó:

—Bueno, ¿y qué te parece la nueva directora? Una marisabidilla, ¿eh? —El joven guiñó un ojo—. Pero es curioso ese juego que ha propuesto. ¿Tú piensas participar?

—Pues yo… sí, seguramente. Estoy dándole vueltas a una idea.

Nuevo codazo de Emma.

—¿De veras? ¡Fantástico! Cuantos más participemos, más interesante se pondrá la cosa. Te confieso que yo he tenido una ocurrencia insuperable. A cualquier otro no se la contaría, pero tratándose de ti… —Se inclinó sobre el velador como si estuviese a punto de revelar un gran secreto—. ¿Qué dirías si te cuento que se me ha ocurrido cambiarle el perfume a «Titán espumoso»? Nada de fragancia oceánica… ¡aroma a limones salvajes!

—No es mala idea —repuso Muffin con cautela.

—¿Y por qué son salvajes esos limones? —preguntó Emma con desprecio—. ¿Muerden?

—¡Qué chistosa es tu sobrina! —Rio Cooper con poco entusiasmo—. Bien, y tú, ¿en qué andas metido?

—Yo…, bueno, nosotros... estamos trabajando en… un producto «limpiamascotas».

El vecino soltó un largo silbido de admiración mientras el codo de Emma casi atravesó las costillas de Muffin. Pero Cooper siguió haciendo como si no notase nada.

—¿Y ya está listo? ¿Lo habéis probado?
—preguntó, y aunque formuló la pregunta del modo más natural, había un tenue destello de preocupación bailando en sus ojos.

Antes de que Muffin pudiera contestar, la respuesta a la pregunta de Cooper llegó maullando desde la cocina. Roña se había cansado de estar sola y salió a pasearse majestuosamente por el salón. Emma sonrió malignamente al descubrir el efecto que la gata ejercía sobre Cooper.

—Digamos que lo tenemos casi listo —susurró, viendo al vecino tensarse en su butaca.

Los gatos tienen una habilidad especial para detectar a la gente que no los soporta… e inmediatamente después plantar encima su trasero peludo. Y eso fue lo que ocurrió con Roña que, tras un salto fenomenal, aterrizó maullando en el reposabrazos de Cooper.

El joven, espantado ante la visión de aquel monstruo azul, se puso en pie de inmediato.

—¡Vaya, qué tarde es ya! —Trató de sonreír mientras tragaba saliva—. Estoy seguro de que vuestro limpiamascotas será un éxito. Ahora creo que debo volver a casa…

Y, en cuanto se despidió apresuradamente, los dejó solos otra vez. Tan pronto como la puerta se cerró tras él, Emma corrió a arrastrar una silla para asomarse a la ventana del recibidor.

—Nunca hubiera imaginado que el pobre Cooper tuviera miedo a los gatos. —Se sonrió Muffin, y luego observó a su sobrina—. Pero ¿qué haces ahora?

—¡No me fío de ese tipo! ¡No tenías que haberle dicho nada!

—No seas así, Emma, esta vez solo quería disculparse…

—¿Ah, sí? ¿Entonces por qué acaba de girar a la izquierda y no a la derecha?

—¿Cómo dices?

—Digo que su casa está a la derecha y él ha torcido a la izquierda —explicó la niña, muy excitada—. Tengo un mal presentimiento. ¡Rápido, al bañerófono!

Ambos trotaron hasta la bañera y Emma, siguiendo su instinto, abrió el grifo del agua caliente para escuchar. El aparato no tardó en «sintonizar» el número diecisiete de Haddock Road, el hogar de las señoritas Fidenburger y de su sobrina Florence.

—¿Ves? —susurró Muffin—. Nada. Silencio.

—¡Shhh! —ordenó Emma—. Yo oigo una musiquilla.

Que no era otra cosa que una de las doce melodías del timbre de la casa de las Fidenburger. Tras la música, un portazo. Y después del portazo fue cuando empezaron a suceder cosas interesantes al otro lado de la tubería.

Emma y Muffin escucharon que las dos ancianas recibían con sumo agrado la visita sorpresa de su «queridísimo vecino Cooper». Y como lo llevaban hasta Florence que, al parecer, estaba leyendo tranquilamente en el salón:

—¡Qué sorpresa, señor Cooper! Ni siquiera sabía que fuéramos vecinos.

Pero lo que mejor oyeron fueron las palabras que Cooper dirigía a su nueva jefa:

—Ya sabe que puede visitarme cuando quiera, Miss Dunaway, para cualquier cosa que necesite. Tengo una piscina estupenda que puede usar incluso cuando yo no esté... siempre guardo una llave de la verja al pie del seto. Pero el trabajo antes que la diversión, ¿verdad? De hecho, quería decirle que ya estoy metido de cabeza en ese jueguecito que nos ha planteado. ¿Qué me diría, Florence, si le dijera que estoy trabajando en la receta de un limpiamascotas? No le importa que la llame Florence, ¿verdad?

Emma miró a Muffin con la cara contraída: sus dos cejas se habían convertido en una sola y con los dientes de abajo se mordía el labio superior.

—¡¿Lo dije o no lo dije?! —gruñó, hecha un basilisco—. ¡Te ha hecho otra jugarreta!

En lugar de contestar, Muffin cayó rendido sobre la taza del inodoro.

—¿Es que no piensas hacer nada, tío? ¿No te importa que te haya robado la idea?

—Emma —gimió Muffin—, aunque no lo creas, no es el limpiamascotas lo que más me importa. Lo peor es que ese canalla quiere hacerse amigo de Florence. Y lo conseguirá. La convencerá de que es un tipo sensacional. Y, antes de que pueda darme cuenta, le contará que soy un apestoso...

—Tú no eres ningún apestoso —murmuró Emma, y él sonrió, agradecido—. Al menos no estás podrido por dentro como Cooper.

Roña se coló entre sus pantorrillas, como queriendo decir que era de la misma opinión.

—Si yo fuera un gato como ella —la acarició tristemente Muffin—, me sumergiría en mi propio limpiamascotas.

—¡Eh, espera! —exclamó Emma—. ¡Eso es!

—Eso es... ¿el qué?

—Pues que si inventaste algo para los gatos..., también podrías inventar algo para ti, ¿no? Mientras Cooper trata de copiarnos la idea, nosotros crearemos un producto más potente y extraordinario. Algo así como... un

champurificador. ¡Un detergenterrible! ¡Un su-
perfumegafuerte! ¡Mejor aún, un limpiatodo
eterno!!

—¿Un limpiatodo eterno? —repitió Muffin,
atónito.

—Algo que pudiera dejarlo todo limpio…
para siempre. ¡Incluso a ti!

Muffin pestañeó confundido. Si lograba inventar un producto que pudiera acabar defini-
tivamente con su propia suciedad, sería la solu-
ción para todos sus problemas.

Parecía algo realmente difícil… ¿pero sería
imposible?

—No sé, Emma —dudó—. Dos días son
muy pocos días…

—Escucha: mañana llamarás al trabajo y
dirás que estás enfermo. Que no podrás acudir
a la fábrica. Y, en un par de días, serás tú el que
huelas a limones salvajes.

9. Aliadas

FABRICAR UN LIMPIATODO es cien veces más difícil que fabricar un limpiamascotas, un limpiacoches o un limpiacristales, pues tiene que ser todas esas cosas a la vez y muchas más. Se precisa de una concentración y una precisión extraordinarias. Y de mucha paciencia.

Aquella mañana, sentado en el inodoro e inclinado sobre un cubo bien limpio, Muffin empleó casi cinco horas en mezclar productos en silencio bajo la ansiosa mirada de Emma y los maullidos despectivos de Roña. «Me he acostumbrado al azul», parecía decir, «así que espero que no estéis tramando volverme naranja o verde pistacho».

Solo pasado el mediodía se mostró Muffin lo bastante satisfecho como para tomar una muestra del cubo y enseñarle a la niña una botellita llena de líquido rosado.

—Es solo un prototipo —anunció—. Según mis cálculos, debería funcionar por igual para limpiar el horno y la tapicería del coche que la cubertería de plata y los calcetines. Si mis cálculos fallan... lo más probable es que haga explotar el barrio entero.

Emma tomó el frasquito entre sus dedos con extrema precaución.

—¿También debería valer para personas?

Muffin tragó saliva.

—También.

—Genial. Entonces hagamos la prueba.

—Ahora es imposible, Emma —negó él.

—¿Por qué?

—¡Es un producto experimental! Hasta que pueda mejorarlo y estabilizarlo, necesitaríamos una increíble cantidad de agua por cada partícula de producto, y nuestra bañera no suelta ni una gota.

—Hmmm... no parece tan grave —repuso misteriosamente Emma, oteando el cielo despejado por la ventana—. Por cierto, ¿verdad que hace muy buen día?

—¿Qué quieres decir? ¿Estás tramando algo?

—¡En absoluto, tío! Solo digo que hace un sol estupendo para darse un baño —murmuró, y luego guiñó un ojo—. En la piscina de Cooper.

—¡¡Emma!! ¡No… po-podemos hacer eso! —susurró Muffin. Volvía a tartamudear.

—¿Ah, no? ¿Y él si puede robarnos nuestra idea y burlarse de nosotros?

Muffin se rascó la cabeza con cuidado de no derramar ni una gota del precioso líquido.

—Bu-bueno… —reflexionó—. Pero que sea un baño co-cortito.

Quince minutos después, los dos caminaban a hurtadillas hacia la puerta del número trece de Haddock Road. Siguiendo órdenes de la pequeña, Muffin llevaba puesto bajo los pantalones su anticuado bañador, posiblemente un modelo similar al que Napoleón había usado en las playas de Santa Elena.

Emma se agachó junto a la verja y tanteó la tierra de la entrada bajo el seto. Según habían podido saber a través del bañerófono, Cooper ocultaba allí una copia de la llave.

Pero, por más que buscaron, la llave no aparecía por ningún lado.

—Claro —susurró Muffin—. ¡Es que la verja está abierta! Todo esto me huele mal.

—Pues por eso estamos aquí, tío.

—Muy graciosa. ¿Y si Florence ha aceptado la invitación para venir a bañarse?

—Imposible. A estas horas, tu querida Florence está en la fábrica. Investiguemos.

Ambos caminaron de puntillas sobre el césped y rodearon el chalet de Cooper en dirección a la parte trasera. Solo se oía el trinar de los pájaros. Al fin, tras la última esquina de la casa, entre palmeras artificiales y dos cómodas tumbonas, la piscina apareció ante sus ojos como un oasis. Limpia, azul y desierta.

Por desgracia, las que no estaban desiertas eran las tumbonas.

Embutidas en sus trajes de baño pasados de moda y con floreados gorros de ducha, las fibrosas hermanas Fidenburger tomaban el sol despatarradas sobre las hamacas.

¿Qué demonios estaban haciendo en el jardín del vecino?

—Cambio de planes —reaccionó Emma rápidamente, cubriéndose tras un arbusto—. A la de tres, echamos a correr hacia la verja. A la de una, a la de dos...

—Y a la de tres —gruñó una de las ancianas, bajo cuyo gorro se adivinaba un gigantesco moño—. ¿Se creen que somos sordas? ¡Hagan el favor de dejar de jugar a los espías y vengan a charlar un rato!

—¿Qué... qué hacen ustedes aquí? —preguntó la niña, asomando de su escondite.

—Nosotras preguntaríamos lo mismo —sonrió la otra, que llevaba unas aparatosas gafas de sol—, si no fuera porque ya lo sabemos. Vienen a probar su fabuloso lim-pia-to-do.

—Que, por cierto —añadió la otra—, esperamos que resulte eficaz, porque nos parece un producto totalmente im-pres-cin-di-ble para el hogar.

—¿Pero... pero cómo saben que...? —preguntó Muffin, abochornado.

—Siéntense y escuchen —ordenó la del moño mientras se embadurnaba de crema bronceadora.

—Resulta que ayer —prosiguió su hermana—, mientras nuestra sobrina atendía una visita, nos disponíamos a tomar nuestro habitual baño nocturno de luz de luna.

—De pronto —exclamó la del moño, con gran dramatismo—, en el silencio de la noche, comenzamos a oír unas voces como de ultratumba...

—¡Imagínense nuestra sorpresa al ver que salían de los aspersores!

—Te dejaste abiertos los grifos del bañerófono —reprochó Emma a Muffin por lo bajo.

—No sé qué es eso del «barreño fino», pequeña. El caso es que al rato nos dimos cuenta de que eran tu voz y la de tu tío las que charlaban desde el baño de su casa. Y escuchamos. Es más, no dejamos de escuchar hasta enterarnos de todo.

—¡De todo! —confirmó su hermana—. Del asunto del limpiamascotas, de su (¡ejem!) problemilla con el mal olor, de la fiesta que tendrá lugar el jueves, del nuevo puesto de director en Lombardi & Co...

—Allí es donde trabaja nuestra sobrina Florence, así que estábamos muy interesadas en la cuestión. No tardamos en comprender que «nuestro queridísimo Cooper» acababa de traicionarle a usted en nuestras propias narices. ¡El muy canalla estaba decidido a robarle su idea!

—Y después de discutir el asunto toda la noche, acordamos ayudarle a usted.

—Y a Florence, claro. ¡No permitiremos que ningún pícaro le tome el pelo! Y, puestos a elegir, preferimos a un vecino que huela un poquito (¡ejem!) por fuera a otro que apeste por dentro.

Muffin bajó la vista, muy sonrojado. No era fácil admitir que las antipáticas Fidenburger estaban ahora de su parte. La anciana de las gafas de sol continuó:

—Ya nos disculparán si hoy pusimos la oreja de nuevo, pero necesitábamos conocer sus planes. Al enterarnos de que iban a probar su limpiatodo en la piscina, nos pusimos nuestros bañadores, buscamos esa llave y entramos a esperarlos aquí. Queremos ayudar.

Muffin miró a Emma y Emma miró a Muffin y, sin cruzar palabra, ambos parecieron llegar a la misma conclusión: ¿qué podían hacer salvo confiar en las ancianas?

—Bueno, ¿a qué esperan? —gruñó la del moño—. ¡Es la hora del baño!

Emma asintió y destapó con mucho cuidado el botecito de limpiatodo. Luego lo vertió lentamente sobre una esquina de la piscina. No sucedió nada especial.

—Bueno, tío... al agua.

Muffin casi se muere de vergüenza al quitarse la ropa delante de sus vecinas y dejar al descubierto su cuerpo pálido y larguirucho. Pero ellas no repararon en eso:

—¡Ánimo, hombre! ¡Adentro! —Palmoteó la de las gafas—. Nosotras vigilamos.

¡Splash!

Muffin se dejó caer de pie hacia el fondo de la profunda piscina. El agua, que por suerte no estaba demasiado fría, apenas sí se oscureció ligeramente en torno suyo.

—¡Tienes que moverte, tío! ¡Ya sabes, como un calcetín en la colada!

Puesto que su abuela jamás le había dejado asistir a clases de natación, Muffin no se desenvolvía con mucha elegancia dentro del agua. Pero chapoteaba y aleteaba enérgicamente con pies y manos, inaugurando un estilo que podría llamarse «rana con agujetas».

Bien, al menos se movía.

Y, al moverse, sobre la superficie del agua comenzaba a formarse una fina película de espuma rosa.

—¡Pero nade con más fuerza, blandengue! —bramó la del moño.

Muffin se picó y comenzó a sacudir el agua con largas y profundas brazadas.

—¡Las piernas, no olvide que tiene piernas! —le animó la de las gafas.

Las aguas se agitaron bajo sus potentes pataleos.

Entonces, la espuma rosa empezó a crecer. A inflarse como el algodón de azúcar. A ascender más y más, hasta que se desbordó por las orillas de la piscina.

Cuando Emma y las Fidenburger quisieron darse cuenta, Muffin se había perdido de vista bajo aquel mullido hervidero rosa.

—¿Tío? —preguntó Emma, buscándolo con la mirada.

—Déjale, lechuguita —repuso la del moño—. Que se lave a fondo.

—¡Tío! —repitió ella sin hacer caso, y su grito rebotó entre los silenciosos chalets del barrio.

Luego, al no obtener respuesta, corrió a asomarse al borde de la piscina. Y, al hacerlo, resbaló y ¡pufff! desapareció también bajo las aguas color fresa.

Entonces fueron las Fidenburger las que se asustaron y empezaron a aullar:

—¡La pequeña!

—¡Se ha golpeado la cabeza!

—¡Haz algo!

—¡Hazlo tú!

Al fin, después de unos momentos que parecieron interminables, Muffin emergió por una de las escalerillas de la piscina con expresión triunfante.

—¡Creo que funciona! —farfulló entre la espuma—. ¡Me siento más limpio, Emma!

—¡La niña está en el agua, botarate! ¡Se ha caído!

Por primera vez en su vida, aquel hombre que vivía asustado comprendió lo que era el verdadero miedo. Con el corazón a punto de estallar, trepó al bordillo y oteó la superficie espumosa del agua. Ni rastro de Emma. La piscina parecía de nuevo tranquila y silenciosa bajo su colchón de burbujas. Como si se hubiera tragado a la pequeña por completo.

Entonces, sin dudarlo, Muffin tomó aire y se lanzó de cabeza a las profundidades.

El agua teñida de rosa apenas le permitía ver un par de metros frente a él, pero buceó y buceó torpemente en todas direcciones. Ningún lugar, sin embargo, parecía distinto del anterior, como si sus débiles brazadas no le llevasen a ninguna parte.

Apenas le quedaba ya aire cuando al fin, a su izquierda, distinguió una sombra.

Con las últimas fuerzas, hizo girar su largo cuerpo hacia aquella silueta que flotaba cerca del fondo. Luego sacudió las piernas por última vez y, acercándose, envolvió el bulto sumergido entre sus brazos y se impulsó hacia arriba.

Fuera, sobre la hierba, las Fidenburger aplaudieron. Incluso la del moño.

Abrazada a su falso pero querido tío, Emma tosía burbujas rosas. Tenía en la frente un chichón de un tamaño considerable.

«Qué idiota soy», pensó Muffin, al borde de las lágrimas, «mira que haberme dado miedo aprender a nadar».

—Eres tú, tío… —farfulló Emma, exhausta, pero luego le agarró con fuerza los hombros—. ¡Jamás vuelvas a darme un susto así!

Muffin no pudo evitar sonreír. Ni siquiera Emma era inmune al miedo.

10. Caldo de pollo

MUFFIN OLVIDÓ SOBRE el mostrador de la cocina el sándwich que se había preparado para almorzar. Estaba demasiado preocupado por la salud de Emma.

La niña tenía ya cuatro mantas por encima, dos almohadones por debajo, tres caldos de pollo dentro del estómago y a Roña calentándole los pies. Inmóvil sobre el sofá, la pobre sentía que estaba a punto de asfixiarse. Peor aún, de cocerse en su propio jugo.

—Te repito que estoy bien, tío —protestó una vez más.

¿Qué podía importarle un chichón y una pequeña mojadura? ¡Muffin estaba curado! Por más que olisqueaba el comedor con su naricilla pecosa, no percibía ni siquiera un ligerísimo olor a bacalao.

—Y yo te repito que está decidido. En cuanto descanses un poco, iremos a la comisaría.

—Pero ¡¿por qué?!

Muffin, en lugar de contestar, le colocó de nuevo el termómetro.

La pregunta era demasiado difícil. Era cierto que, al rescatarla en la piscina, su falso tío se había dado cuenta del inmenso cariño que, en pocos días, había tomado a la niña. Y también de lo que le hacía falta a su lado. Pero, al mismo tiempo, no se le iba de la cabeza que, en algún lugar de la ciudad, un hombre preocupado la necesitaba tanto como él.

Su verdadero tío.

—Di, *¿pod qué quiedes llevadme* a *da podicía?* —insistió Emma, mordiendo el termómetro.

—Porque es lo correcto —dijo él sencillamente, volviendo a la cocina a por más caldo.

En realidad, lo hacía para que Emma no advirtiera que tenía los ojos empañados de lágrimas.

—¡Pero no es justo! —aulló ella—. ¡Yo no quiero ir con mi tío!

—Pero si seguro que es un tipo de lo más simpático…

—¡No, no lo es! —chilló ella, y se enterró bajo las mantas—. ¡Es el traidor de Cooper!

—¡¿Cómo?! —preguntó él, destapándola de un tirón—. ¿Qué has dicho?

—¡Que soy sobrina de Cooper! ¿Lo oyes? Que me confundí de casa. Que la noche en que llegué llovía, estaba oscuro y... ¡y que «quince» suena muy parecido a «trece», cuernos!

—No es posible, Emma... —Muffin sintió que se mareaba—. ¿Cuándo lo supiste?

—Al día siguiente —suspiró ella—, en cuanto lo vi en la fábrica. Ya te dije que mamá tiene una foto de su hermano en el comedor. Él, claro, no supo quién era yo, porque hace años que no nos visita. ¡No le importamos nada! Por eso mamá me dejó con una nota en lugar de hablar con él... para que no pudiera negarse a acogerme.

—Entonces, la inicial «M» que aparecía en la carta...

—No era de Montgomery Muffin, tío... Era de Mike.

«Mike Cooper», se dijo Muffin, «¿Cómo no me habré dado cuenta antes?».

Sintió que se mareaba. De pronto todo encajaba como en un puzle. Un puzle en el que se iba formando una imagen horrible: Emma y Cooper, juntos en alguna foto familiar.

Desgraciadamente, aquello apenas cambiaba la situación:

—Debo llevarte con Cooper inmediatamente —exclamó Muffin, muy nervioso.

—¡No! ¡Déjame un día más contigo! ¡Uno más! ¡Oye! ¡Si me llevas, rompo las teteras!

Sin atender a sus amenazas, Muffin agarró el abrigo y abrió con determinación la puerta de la calle. Y fue así como se topó de bruces con las hermanas Fidenburger que, plantadas sobre el felpudo, cargaban entre las manos con dos cazuelas bamboleantes.

—Buenas tardes —sonrió la de las gafas—. Veníamos a devolverle la ropa seca a la enfermita y, de paso, a traerle un poco de caldo.

—¿Les ocurre algo? —inquirió la del moño, apartando a su hermana de un empujón—. Hemos oído gritar a la niña. ¿Te trata mal tu tío, lechuguita? ¡¿Qué le ha hecho usted?!

—Oiga —estalló Muffin, aún trastornado—. Que yo no he hecho más que cuidarla, abrigarla y prepararle caldo. ¡Si le parece mal, ya puede volverse con su olla por donde ha venido!

—¡Al menos la sopa que nosotras le traemos es de pollo y no de pescado! —se encendió la del moño, olfateando el aire—. ¡Hasta nosotras sabemos que su sobrina es alérgica!

—¡Si lo saben es porque escuchan a través de las bañeras! —chilló Muffin—. Y mi caldo también es de pollo, para que se entere.

—¡Cálmese, por favor! —imploró la de gafas—. Es solo que huele un poquitín a pescado.

—Qué mentira —intervino Emma—. A mí no me huele a…

Pero, antes de poder acabar la frase, le sobrevino un estrepitoso estornudo.

«¡Achís!».

Muffin escuchó aquel «achís» sobrehumano y, al momento, se dejó caer en un sillón.

Acababa de comprender lo que ocurría. ¡Emma se había resfriado y tampoco ella podía oler nada! Por eso no había detectado la peste que, lentamente, iba regresando a Villa Muffin.

Su limpiatodo, al fin y al cabo, había fracasado.

—No se desanime, hombre —se apiadó la anciana de las gafas al verle tan abatido—. Mire, nosotras también veníamos a disculparnos por todas las bromas que hayamos podido hacerle. Desde ahora puede considerarnos sus amigas. ¿A que se siente mejor?

—Supongo… —Se encogió de hombros él—, aunque ni siquiera conozco sus nombres.

—Somos Ester Agata y Ester Sigrid —sonrió ella—. Aunque, para abreviar, a las dos nos llaman «Ester». Encantadas de…

—¡Déjate de nombrecitos! —saltó entonces Ester «Moño»—. ¿Pero de veras se va a dejar usted vencer por este pequeño contratiempo? ¡Yo digo que su fórmula funciona!

—¿Y usted cómo lo sabe? —preguntó Emma, emergiendo de entre su montaña de mantas.

—Escucha, lechuguita. Como sabes, antes nos llevamos tu ropa mojada para lavarla, secarla y plancharla. La metimos en la lavadora completamente empapada del famoso limpiatodo. Y hemos descubierto una cosa extraordinaria.

Con mucha parsimonia, sacó de su bolso la camiseta y el pantalón de Emma, que tenían un aspecto impecable. Como recién comprados.

—De acuerdo —admitió Muffin—. Están muy limpios, pero eso no es algo «extraordinario», señora. Cualquier detergente corriente los dejaría igual.

—Espere —le advirtió Ester «Gafas».

Entonces, tras destapar una de sus cacerolas, tomó la camiseta resplandeciente de Emma y, arrugándola, la sumergió en el oscuro y grasiento caldo de pollo.

—¡Mi camiseta! —protestó Emma.

—No temas… ¡mira!

Y con una gran sonrisa, como si estuviese efectuando un truco de magia, volvió a sacar la prenda. Estaba tan seca, limpia y radiante como antes. La grasa había resbalado camiseta abajo sin dejar el más leve rastro.

Por unos instantes, ninguno dijo nada. Ni siquiera Roña.

Todos sopesaban en su cabeza las consecuencias del hallazgo. Posiblemente se trataba de un logro científico a la altura del descubrimiento de los rayos X o la invención de la penicilina.

—¡Es increíble! —chilló al fin Muffin—. ¡La fórmula ha funcionado!

—Pues claro que ha funcionado, botarate —repuso Ester «Moño»—. Lo único que ocurre es que hemos cometido un gran error al aplicarla con usted.

—¿Cuál? —saltó Emma.

—¡Ay! —suspiró Ester «Gafas» —, si la gente viera menos películas y más publicidad…

—Exacto —prosiguió su hermana—. ¡Lo dicen todos los anuncios! Para lavar a fondo una prenda, no basta con ponerla a remojo. Hay que prelavarla, lavarla y centrifugarla. Solo así el producto penetrará a fondo y eliminará cualquier rastro previo de suciedad. Tú misma lo dijiste, pequeña: tu tío debería limpiarse como un calcetín en la colada.

—Esperen —dijo Emma—. ¿No estarán pensando en meter a mi tío en su lavadora?

—¡Claro que no! La lavadora que tenemos en casa es una birria. ¿Pero sabes qué más tenemos en casa? El bolso de Florence. Y Florence tiene las llaves de la fábrica. Y en la fábrica, por si no lo saben, tienen lavadoras industriales gigantescas y extraordinariamente potentes. Nuestra sobrina nos lo ha explicado con pelos y señales.

Se produjo un nuevo intercambio de miradas. El plan de las Ester era tan audaz y disparatado que incluso a Emma (¡a Emma!) le parecía demasiado peligroso.

Y tuvo que ser Muffin (¡fíjate bien, Muffin!) el que al fin se atreviera a decir:

—¿Saben? Vale la pena probar. Pero tiene que ser esta noche.

—¡¿Esta noche, tío?!

—La fiesta de Cooper —murmuró Ester «Gafas»— tendrá lugar mañana por la tarde…

—Y a Florence —apuntó Ester «Moño»— se le están agotando las reservas de mocos. Pronto volverá a oler como un sabueso.

—Entonces hoy a medianoche —decidió Muffin—. Los cuatro. En mi jardín.

—O sea, que me concedes un día más —le susurró Emma al oído.

—Miau —terminó la gata mirándolos a todos con gesto lastimero.

—No, Roña, tú te quedas en casa montando guardia.

En realidad, la gata no tenía ninguna intención de unirse a la excursión.

Con su maullido solo trataba de avisarles de que los grifos del bañerófono seguían abiertos.

11. La montaña rusa

LA IMPONENTE MOLE de ladrillo de la fábrica parecía aún más imponente bajo la luz de la luna. Orgullosas, sus cuatro chimeneas vigilaban la calle desierta y silenciosa.

Muffin se estremeció. Jamás había estado allí a aquellas horas.

—Creo que empiezo a echar de menos tener miedo —susurró a Emma.

—¡Ánimo, tío! Te prometo que este es el último lío en que nos metemos.

—Oigan —gruñó Ester «Moño»—, ¡menos cháchara y más linterna!

—Ya va —contestó Emma, abriendo su mochila—. ¿Y ustedes por qué van así vestidas?

Sorprendentemente, las ancianas habían acudido a la cita cubiertas de pieles y alhajas.

—Necesitábamos una excusa para salir de casa a estas horas —dijo Ester la amable, que ahora, en vez de gafas tintadas para el sol, lucía otras de concha para la miopía.

—Así que le hemos dicho a Florence que íbamos a la ópera… —apostilló su hermana—. Y ahora, ¡alumbra!

Emma dirigió el haz de luz de su linterna hacia la cerradura. Las ancianas sacaron las llaves que habían tomado prestadas del bolso de Florence y eligieron la más grande y pesada.

El «clac» que hizo la cerradura al abrirse resonó por toda la vecindad.

—¡Vamos, vamos, todos adentro!

La oscuridad de la factoría era total, excepto por los tenues rayos de luna que atravesaban las claraboyas del techo. Incluso a Muffin le costaba un poco orientarse en aquella oscuridad donde no paraban de tropezar y chocar unos con otros:

—Si esto es el vestíbulo principal, por aquí debe de estar la puerta que… ¡augh!

—Perdona, tío, te he pisado.

—¡No, lechuguita, me has pisado a mí!

—¿Entonces a mí quién me ha dado un capón?

—Servidora, con el anillo.

Al fin, con algo de esfuerzo, llegaron a la planta de fabricación. Era aquello un fantasmal laberinto de pasillos, máquinas, tanques, cubetas espumeantes y cientos de frasquitos de vidrio que destellaban a la luz temblorosa de la linterna de Emma.

—Vaya escenario para una película de terror —silbó la niña—. «El champú mutante», por ejemplo.

—¡Venga! —ordenó Muffin, girando hacia la izquierda—. Las lavadoras industriales se encuentran tras aquella puerta, en una habitación insonorizada.

Las tres enormes máquinas se alzaban al fondo de la sala. La más grande, que tenía el tamaño de cuatro cabinas telefónicas, recordaba vagamente a una anticuada nave espacial.

—Da la luz, lechuguita —ordenó Ester «Moño»—. Nosotras nos encargamos de la colada.

Y al decir la «colada», naturalmente, se refería a Muffin.

—Bien —siguió Ester, extendiendo la mano—. Venga, el detergente.

Muffin le alargó una botella bastante grande donde había preparado una nueva muestra del limpiatodo. Para no olvidar la fórmula, además, había pegado al dorso del recipiente una copia de la receta.

—¿Qué vamos a lavar, un elefante? —le regañó ella—. Usaremos solo un poco.

Y con mucho cuidado vertió algo menos de la mitad de la mezcla en el cajetín del detergente. Acto seguido se puso a investigar y manipular los mandos del aparato.

—Espera —la frenó su hermana—. ¿No le añadimos un poquitín de suavizante?

—¡Es un señor, querida, no un edredón de pluma de oca!

—Muy bien, pues adentro con él.

—Claro, para que se ahogue. —La detuvo la otra, sacando de entre sus pieles un discreto equipo de submarinista compuesto por gafas, respirador y botella de oxígeno.

—Pero oiga —preguntó Muffin, bastante tembloroso—. ¿De dónde ha sacado eso?

—¿Y qué se cree? ¡¿Que las ancianitas solo vamos a la ópera?! ¡Somos campeonas olímpicas, señor mío! ¡Póngaselo y adentro!

Al fin, Emma y las dos ancianas le auparon al interior del tanque.

—¡Suerte, tío! —Fue lo último que oyó antes de que la portezuela se cerrase tras él.

Clonc. Clic. Zum.

La máquina se puso en marcha con un suave murmullo, la penumbra comenzó a inundarse y, desde algún lugar, una helada dosis de limpiatodo empezó a fluir lentamente sobre su coronilla. Muffin hizo un esfuerzo por sonreír a Emma a través de la escotilla de la nave espacial. O sea… del ventanuco de la lavadora.

Al momento, el tambor comenzó a girar. Al principio, despacio, tanto que Muffin podía permitirse flotar sentado en el agua con las piernas cruzadas. Resultaba hasta agradable.

Asomada al interior, Emma gesticulaba para darle ánimos.

Poco a poco, sin embargo, la velocidad fue aumentando.

Y aumentando.

Más y más.

Y al fin, Muffin tuvo que dejarse arrastrar por el remolino.

En aquel momento hubiera jurado que su corazón marchaba aún más rápido que la máquina. Apretó los ojos y se concentró en inhalar aire por el respirador.

Pum-pum-pum-pum, retumbaban sus latidos al ritmo de las volteretas del tambor.

Se mareaba. Pero lo extraño es que aquel mareo removía ecos de un recuerdo lejano.

Algo que casi había olvidado.

Una vez, con ocasión de su décimo cumpleaños, Muffin había convencido a su abuela de que le llevara al parque de atracciones. La anciana se había dejado arrastrar a regañadientes a través del bullicio y las atracciones mecánicas.

Claro que no había permitido a su nieto probar el algodón de azúcar, ni los coches de choque, ni la noria, ni los caramelos rompemuelas. Nada de eso le había importado verdaderamente a Muffin. Lo único que de verdad deseaba el muchacho era que la abuela le dejara marearse a gusto a bordo de la montaña rusa.

Y, naturalmente, había acabado pasando la tarde sobre un lento y aburrido tiovivo.

El tambor aceleró y Muffin se desorientó. Ya no sabía lo que era arriba o abajo. Por el ventanuco que pasaba frente a sus ojos le llegaban destellos de las dos Ester.

Las gafas de una, el moño de la otra. Iguales al moño y las gafas de su abuela.

La velocidad aumentó aún más y los dos rostros se fundieron en uno solo.

Ahora era su abuela la que parecía observarle desde las tinieblas.

Fue entonces cuando Muffin se desmayó y todo se volvió igual a un sueño.

Ya no estaba dentro de la lavadora, sino sobre su añorada montaña rusa.

Y, en vez de sufrir…, lo estaba pasando en grande.

«¡¿Qué haces ahí arriba?!», bramó entonces una voz burbujeante.

El rostro de su abuela aullaba y golpeaba el ventanuco con sus manos de pájaro.

«¡Ven, abuela, sube conmigo! ¡Te divertirás!».

«¡Niño inconsciente! ¡¿Nunca dejarás de hacerme sufrir?! ¡Baja ahora mismo de…!».

«¡Yujuuuuu!», aulló el muchacho, tapándose los oídos.

Muffin lo pasó bomba subiendo y bajando, gritando y mareándose hasta que, al fin, el vagón en el que soñaba ir montado se detuvo bruscamente. Solo entonces descendió. Su abuela le esperaba al pie de la atracción, junto a un puesto de maíz dulce.

En ese momento, el niño que había sido Muffin caminó despacio hasta ella y tomó su mano nudosa. La anciana tenía pinta de sentirse muy desgraciada.

«¿Cómo has podido…?», comenzó ella, pero Muffin la interrumpió.

«Abuela», murmuró con voz firme, «sé lo mucho que has sufrido por mí. Lo que aún sufres allá donde estés. Temes perderme como perdimos a mamá. Igual que yo temo perder a Emma. Y por culpa de ese miedo te olvidaste de vivir».

Ahora la abuela, aunque seguía escuchando, tenía la mirada perdida.

«¡Pero resulta que yo sí quiero vivir!», siguió Muffin. «Y no pienso dejar que el miedo me lo impida. Por eso, a partir de ahora, ni tú ni yo volveremos a tener miedo. Te prometo que estaré bien y que me acordaré de...».

Entonces ella rompió a llorar de repente.

«¡Muffin!», gimió, y lo estrechó con fuerza entre sus flacos brazos, «¡mi Muffin!».

«¡Con cuidadito, abuela!», rio su nieto entre lágrimas. «¡Con cuidadito!».

Por encima de la música de la feria, las sirenas de las atracciones aullaban a su alrededor, llenando el cielo de luces de colores.

«¡Con cuidadito!», repitió Muffin.

En aquel instante, una voz diferente a la de la abuela lo sacó de su ensoñación.

—Pero ¿qué cuidadito ni cuidadito? —gruñía—. ¡Arriba, botarate!

Muffin abrió los ojos. Unas manos enjoyadas le estaban zarandeando. Las de Ester «Moño». Se encontraba tumbado en el suelo, completamente empapado. Sobre él se inclinaban los rostros inquietos de Emma y Ester «Gafas».

—¿Qué... qué pasa?

—¡Pasa que algún vecino ha debido de llamar a la policía! ¡Escuche!

Lo que Muffin había tomado por el escándalo de la feria era, en realidad, el ruido de las sirenas de policía.

—¡Levántate, tío, tenemos que irnos! ¡Te ayudaremos!

Apenas tuvieron tiempo de recogerlo todo, apagar las luces y tomar el camino de vuelta hacia la puerta principal. Por suerte, lograron escabullirse de la fábrica con los segundos justos para que no les pescaran.

Naturalmente, con las prisas olvidaron la botella con los restos de limpiatodo. La misma que llevaba adherida la receta secreta del producto.

Una silueta que llevaba horas aguardando pacientemente en un rincón lo hizo por ellos.

Acto seguido, la misteriosa sombra se esfumó como un gato por la puerta trasera.

12. Fiesta y centrifugado

—¡Huéleme! —repitió Muffin por séptima vez.

Con infinita paciencia, Emma se sonó los mocos, se le acercó e inspiró tan fuerte que por poco se lleva con ella su elegante corbata escocesa. Era también la séptima que Muffin se había probado.

—Hueles a rosas —anunció, rellenando el tazón de agua de Roña.

—¿Cómo estás tan segura? —protestó Muffin—. ¡Aún sigues resfriada!

—Oye, tío, puede que haya perdido un pelín de olfato, pero ni siquiera a media pulgada huelo nada malo en ti.

En realidad, Emma no estaba siendo completamente sincera. Era cierto que el limpiatodo había funcionado. Muffin llevaba limpio más de doce horas, lo cual era una maravillosa señal. Nada de pescado podrido. Sin embargo, olfateándolo muy de cerca, todavía percibía un matiz extraño en el aroma de su falso tío. Nada preocupante, solo un ligerísimo perfume a atún en escabeche. Pero Emma prefirió no decir nada para no ponerlo más nervioso.

Antes de que le diera por cambiarse otra vez de corbata, Emma lo agarró de la mano y lo arrastró hacia la entrada del número trece. Desde las ventanas del diecisiete, las Fidenburger los vieron pasar, mordiéndose las uñas.

Cooper, que había decorado la entrada de su chalet con guirnaldas y globos de colores, los recibió tan entusiasmado como un niño en su fiesta de cumpleaños.

—¡Chico, que alegría que hayas venido! Ah, traes a tu sobrina... pasad, pasad.

—Gracias —repuso secamente Muffin, aunque luego esbozó una sonrisa nerviosa.

Es difícil saber qué cara poner cuando tu mayor enemigo te invita a su casa.

Por fortuna, después de acompañarlos hasta su moderno y luminoso comedor, Cooper se excusó y desapareció en dirección a la cocina para ocuparse de los cócteles.

Había allí unas catorce o quince personas charlando en pequeños grupos: eran los compañeros del segundo piso de Lombardi & Co. enfundados en sus mejores trajes. Todos se volvieron a una al ver aparecer a Muffin con su extraña acompañante. Muchos se dirigieron entre sí sonrisas guasonas. Algunos husmearon el aire, asombrados.

Era extraño, pero no percibían ni rastro de mal olor.

—Aún estamos a tiempo de irnos —susurró Muffin, al ver que nadie se les acercaba.

—Ni hablar —repuso Emma—. Quiero probar esos canapés.

Y, al ritmo de la suave música de tocadiscos que sonaba en el comedor, avanzó bailoteando hasta la mesa de los aperitivos.

Fue entonces cuando Florence sorprendió al indefenso Muffin por la espalda.

—¡Hola! —soltó, y su nariz sonaba totalmente despejada—. Ya creí que no vendría.

Al contrario que el resto de invitados, la directora había renunciado a su formal traje de chaqueta y había aparecido en la fiesta en vaqueros y camisa.

—¿Qué tal, señora Dunaway? —logró decir Muffin sin tartamudear ni una sola vez.

—Bien, bien… pero la señora Dunaway es mi madre. ¡A mí llámeme Florence!

Y los dos se echaron a reír.

—Veo que se encuentra mucho mejor de su resfriado…, Florence.

—Así es, gracias. ¿Sabe que me acabo de enterar de que somos vecinos?

Siguieron charlando alegremente de esto y de aquello. Miss Dunaway contaba unos chistes fenomenales y él tosía, atragantado por las carcajadas. No tardaron en convertirse en el grupo más animado de la fiesta.

Para sorpresa de Muffin, varios invitados se acercaron para unirse a la conversación. Desde el otro lado del comedor, vio a Emma sonreír y formar una «V» con los dedos.

Era la señal de victoria.

En aquel momento, Cooper regresó al comedor con una bandeja de bebidas entre las manos. No tardó en localizar a la jefa para ofrecerle un vaso antes que a nadie. El resto de invitados se agolparon sobre la bandeja y Muffin fue el último en alcanzar su refresco.

—Delicioso —se relamió Florence.

—Soy bueno en esto de las mezclas —sonrió Cooper—. Y a propósito, ¿tal vez deberíamos empezar con...? Bueno, ya sabe, nuestras propuestas.

—¡Oh, sí, claro! Vayan sentándose, por favor —dijo ella, apurando su bebida—. Estoy deseando escuchar sus magníficas ideas.

Muffin corrió a buscar a Emma y juntos se acomodaron en un butacón. Esta abrazaba muy tensa su inseparable mochila, que escondía la muestra del genial limpiatodo. Muffin notó que, por una vez, era ella la que estaba temblando, y le apretó con fuerza la mano.

Entonces la directora pidió silencio y comenzó la exposición.

Los empleados de Lombardi & Co. habían discurrido ideas de lo más variadas, unas más ingeniosas y otras menos, para hacerse con el codiciado puesto de director. Entre ellas se encontraban:

—Dos nuevas fragancias de gel de baño: «Profundo Amazonas» y «Lejano Oeste».

—Pastillas de jabón con regalos en el interior para que los niños no protesten a la hora del baño.

—Un lavavajillas que cambia el color de los platos y cubiertos.

—Gel y champú comestibles para ahorrar tiempo desayunando en la ducha.

—Un limpiahornos a las finas hierbas que aromatiza los guisos.

—Tres nuevos eslóganes y una canción publicitaria.

Florence aplaudía entusiasmada después de cada exposición. Curiosamente, fue dejando para el final a Muffin y Cooper, como si fuera consciente de su silenciosa rivalidad.

Al fin, cuando no quedó nadie más que ellos, Mike Cooper se levantó, impaciente pero la mar de confiado.

—Queridos colegas —comenzó—. Todos habéis presentado ideas de lo más originales e ingeniosas. Yo he ido un paso más allá. Os traigo el producto terminado y casi listo para su venta.

—El limpiamascotas —cuchicheó Emma a Muffin, conteniendo la risa.

Sin embargo, lo que Cooper sacó entonces de su chaqueta fue un frasquito con un mejunje color rosa intenso. El joven se aclaró la garganta y comenzó:

—Damas y caballeros, les presento un producto que revolucionará el mundo de la limpieza: ¡mi fabuloso «Limpiacualquiercosa perpetuo»! Un detergente para la limpieza integral y duradera del hogar y la familia. La ropa sucia, la vajilla, los muebles, la tapicería del coche, el suelo, las alfombras o ustedes mismos. ¡Nada se resiste al poder de la fórmula concentrada con la que...!

Muffin y Emma escucharon con ojos como platos el discurso de Cooper, que hacía muecas y canturreaba como un charlatán de feria. Parecía imposible, pero su enemigo había dado con un producto idéntico al suyo. Y esta vez, sin trampas. Sintieron que se desinflaban como globos. Peor aún, que los pinchaban con un alfiler y se hundían hasta desaparecer entre los cojines del sofá.

Cooper volvió a su asiento acompañado de una larga y sincera ovación. Aunque alguno aprovechó el ruidoso aplauso para hacer rechinar los dientes, la mayoría se alegró de corazón por su compañero. Era evidente que ninguna idea podría rivalizar con la suya.

—La verdad —comentó la directora, que fue la última en terminar de aplaudir—, parece un producto difícil de superar. No obstante, aún queda alguien por exponer... ¿Montgomery?

Sin pizca de miedo pero abatido, Muffin se levantó y se dirigió a sus compañeros:

—Si no les importa, prefiero no hacerlo. Tal y como ha dicho Cooper, todos sus productos son maravillosos, y... bueno, acabo de darme cuenta de que el mío no está a su altura. Lo lamento, Miss Dunaway. Tal vez en otra ocasión.

Esta vez fue Emma la que le apretó a él la mano.

—¿De veras? —murmuró Florence, y después meditó unos segundos—. En fin, nadie está obligado a participar. Por otro lado, creo que ya

he tomado una decisión. Permítanme que me levante para anunciar que la mejor idea es la que ha expuesto el señor Cooper.

Nuevo aplauso por parte de los empleados.

Lleno de orgullo, el ganador se levantó para acercarse a la directora.

Emma, en cambio, hundió la cabeza en el pecho de Muffin para llorar de rabia.

—Un segundo, Cooper —saltó entonces Florence—. Creo haber dicho claramente que la mejor idea era la que usted ha expuesto. Por desgracia, sabe tan bien como yo que ni la idea ni el producto le pertenecen. Usted robó su «fabuloso limpiacualquiercosa» a otra persona.

Un largo «oooh» de incredulidad (y cierto regocijo) surgió entre el público.

—Eso es ridículo —tartamudeó Cooper—. ¿Cómo iba yo a…?

—No pretendo avergonzarle delante de sus colegas, Mike. Solo le diré una cosa: usted no es el único que sabe escuchar a través de las cañerías.

Al oír aquello, Cooper se dejó caer en su asiento y se cubrió la cara con las manos. Miss Dunaway, impasible, continuó:

—En consideración a su amable invitación, olvidaré este asunto por el momento. Pero de ahora en adelante tenga presente que en mi empresa solo trabaja gente honesta.

Confusos e incómodos, todos se removieron en sus asientos y miraron con recelo al traidor. El hombre tardaría bastante tiempo en recobrar su confianza.

—En cuanto al «limpiacualquiercosa perpetuo» —continuó Florence—, me parece un producto fantástico y enseguida lo someteremos a las pruebas correspondientes. Sin embargo, creo que sigo prefiriendo su nombre original. «Limpiatodo eterno», si mal no recuerdo. ¿Querría el futuro director de planta levantarse y explicarnos a todos cómo se le ocurrió?

Y, con una sonrisa de complicidad, extendió la mano hacia Muffin y su casi sobrina.

—¡Tío! —susurraba Emma, tirándole de una manga—. ¡Tío!

Pero él tenía la cabeza en otra parte.

«Qué tontería», estaba pensando. «Mira que haberme dado miedo las fiestas».

13. Teteras salvajes

EL MIEDO, EN cierto modo, se parece a la suciedad.

Al igual que la suciedad, el miedo se huele de lejos. Los dos se nos pegan al cuerpo y pueden terminar por alejarnos del resto del mundo. Y no importa cuánto luchemos contra ellos, porque siempre volverán. A ambos nos enfrentamos en una batalla interminable que durará toda nuestra vida.

¿Fue realmente el limpiatodo lo que acabó con el mal olor de Muffin? ¿Tuvo algo que ver el hecho de que se atreviera a desafiar sus miedos? ¿O fue pura casualidad?

Ni Roña, ni las dos Ester ni yo hemos podido dar con una respuesta satisfactoria a esta cuestión. Ni siquiera Muffin, que se lo preguntaba mientras veía a Florence y a Emma charlar junto al borde de la bañera como dos viejas amigas.

Eran las nueve y cuarto de la noche. Apenas quedaban tres horas para el día de Navidad.

Emma, ya con su impermeable y su mochila encima, se resistía a salir para esperar a su madre, que llegaría para recogerla de un momento a otro. Estaba demasiado ocupada mirando cómo Florence rebuscaba entre la gran caja de herramientas de sus tías. La directora de Lombardi & Co. se había ofrecido a arreglar el bañerófono antes de que causara más líos.

—Entonces —dijo Emma—, ¿cómo te enteraste de todo?

—Verás —comenzó ella, desenterrando de la caja una gran llave inglesa—. Ayer por la tarde, aprovechando que mis tías habían salido, quise darme un baño tranquila. Estaba completamente sola en casa, así que imagínate mi sorpresa al escuchar voces que susurraban a mi espalda. Casi salto de la bañera del susto. Pues aún me sorprendí más al descubrir que las voces salían en realidad... ¡del interior del retrete! Me acerqué a escucharlas. Tres de ellas ya las conocía: eran las de mis tías y la de uno de mis empleados. La cuarta pertenecía a cierta niña misteriosa pero encantadora...

—Je, je. —Rio Emma, complacida—. Y te enteraste del asunto del limpiatodo.

—Me enteré. Claro que podía haberos estropeado la misión, pero me pareció más divertido espiar. Os vi a todos reuniros frente a la puerta de esta casa, y hasta fingí creerme que mis tías iban a la ópera con un equipo de submarinismo bajo el abrigo.

—¡Nosotras vamos a la ópera como nos da la gana, niña! —tronó una voz a través de la tubería. Las Fidenburger no se habían resistido a escuchar lo que estaba ocurriendo en el número quince.

—¡A callar, tías! —respondió divertida Florence, acercando la boca al desagüe.

—¿Y no te enfadaste por lo que pensábamos hacer? —intervino Muffin.

—Un poco, pero ya te dije que estaba buscando a alguien valiente y atrevido para el puesto… ¡Aunque te advierto que, cuando te nombren director, no permitiré que asaltes la nueva fábrica cada noche!

—Sigue —pidió Emma.

—El caso es que os vi desaparecer en dirección a la factoría. Pero después vi algo que me preocupó mucho más. A Cooper, que salía de casa de puntillas y comenzaba a seguiros a cierta distancia. La verdad, nunca me dio buena espina. Enseguida sospeché que también él había oído vuestra conversación a través del…

bañerófono, eso es. Y que no tenía buenas intenciones.

—Se hizo con la botella que olvidamos —apuntó Muffin—. Y con la receta.

—Os... robó... la idea... —asintió Florence, mientras peleaba con el codo de una tubería especialmente pendenciero.

—¿De verdad venderéis el limpiatodo? —preguntó Emma.

—¡Pues claro que lo venderán! —afirmó una de las Ester al otro lado del desagüe.

—Antes... habrá que... comprobar... que... —gruñó Florence, al límite de sus fuerzas.

—¡Cuidado! —advirtió Muffin.

—¡¿Qué pasa?! —vocearon las Fidenburger.

—¡Miau! —chilló Roña.

La llave inglesa salió disparada por la puerta y se oyó el ruido de la porcelana rota. Al mismo tiempo, el agua comenzó a fluir a chorros por el grifo del bañerófono, que de pronto volvía a ser una bañera vulgar y corriente.

—¡Oh, lo siento! —gimió Florence, corriendo hacia el pasillo—. ¡Os he roto una tetera!

Muffin y Emma se miraron.

—¿Sabes qué? —sonrió Muffin—. No importa. Realmente nunca me ha gustado el té.

Y luego, súbitamente inspirado, comenzó a coger teteras y a sacarlas al patio.

Emma y Florence le imitaron sin preguntar nada y, enseguida, una frágil torre de porcelana comenzó a crecer frente a la puerta principal.

Por último, los tres empezaron a repartir las teteras amontonadas por la espesura del jardín: teteras colgando de las ramas, teteras entre los matorrales, y teteras medio ocultas bajo la tierra. Un montón de ojos diminutos y atónitos vigilaban la operación desde las grietas de la fachada.

—Son apartamentos para lagartijas, ¿verdad, tío? —preguntó Emma.

El pitido de un claxon le impidió escuchar la respuesta de Muffin.

—Ya está ahí tu madre —dijo él con tristeza.

Los tres caminaron en silencio hasta la verja de entrada, seguidos por los pasos silenciosos de la gata. Fuera, junto al parque y bajo la luz de una farola, el coche de la madre esperaba con el motor apagado.

—Bueno... —comenzó la niña, pero, por una vez, no supo cómo continuar.

—Bueno, yo... —lo intentó Muffin pero, antes de que pudiera decir otra palabra, Emma se abalanzó sobre él y lo abrazó con todas sus fuerzas.

—Adiós, tío —murmuró al fin con lágrimas en los ojos—. Y recuerda…

—Lo sé. —Sonrió él—. Nada de miedos.

—Yo iba a decir que soy alérgica al pescado. Ya sabes, para cuando vuelva a visitarte. Pero eso también: nada de miedos.

La niña besó a Miss Dunaway y acarició el lomo azul de Roña por última vez. Después se dio la vuelta y cruzó la calle desierta sin volver la vista atrás.

—Muffin… —dijo entonces Florence—. Se me ha hecho un poco tarde para volver a casa. ¿Te importa si me quedo a cenar?

—Pero, Florence…, si vives en la casa de al lado.

—¿Quieres que me quede o no? —Sonrió ella, dándose media vuelta hacia la cocina.

Antes de seguirla, Muffin esperó a que el coche arrancara y se esfumara calle abajo.

Las lagartijas, confiadas por el silencio que se había hecho en el jardín, comenzaron a curiosear sus nuevas y acogedoras casas de porcelana. Las más atrevidas se deslizaron pitorro abajo.

«Feliz Navidad, Emma», murmuró Muffin mientras miraba los columpios vacíos.

Y justo después pensó para sus adentros: «Mira que haberme dado miedo los niños».

Si aún quedaba en él un último rastro de mal olor, en aquel instante la brisa nocturna lo arrastró consigo para siempre.